ヤマケイ文庫

垂直の記憶 岩と雪の7章

Yamanoi Yasushi 山野井泰史

Yamakei Library

垂直の記憶　岩と雪の7章

目次

本文写真＝著者
ルート図＝田中幹也

はじめに

今、僕は悪戦苦闘している。まるで小さな子どもが、初めて山や岩登りを知ったときのようだ。歩くスピードも遅く、岩を握る力もない。小学五年生のときから山に登り始めたが、あの当時よりも悲しいくらい登れない。

ギャチュン・カンの代償はあまりにも大きく、一時は落ち込みそうになった。しかし、ギャチュン・カンを選んだことを誤りだと思ったことはないし、アタックしたことに対しても悔やんではいない。むしろギャチュン・カンに挑戦してよかったと思っているくらいだ。すがすがしい気持ちなのだ。わずかなミスも許されない壁のなか、あれほどの厳しい状況に追い込まれても、びっくりするくらい冷静に判断を下し、自分の能力を最大限に発揮し、行動できたことに喜びさえ感じている。今まで積み上げてきたことに間違いはなかったのだ。

今、ひとつだけ悲しみと言えるのは、追い求めてきた夢を実現できる見込みが、どうやらなくなってしまったことだ。僕は、長年にわたってヒマラヤのマカルー西壁、ジャヌー北壁のようなルートをアルパイン・スタイル、それもソロで登ることを夢見てきた。言いかえれば、それらを登れるくらいのクライマーになることを理想にして、少しずつレベルを上げてきたつもりだった。

しかしこの数年、僕にはそれらを登れる能力がないのではないかと、ときどき思うようになり始めていた。そして手と足を合わせて十本もの指を失った現在、挑戦する資格もなくなったことが決定的となった。これからいくら一生懸命トレーニングを積んでも、無理であることは僕自身が一番よくわかっている。昔は五体満足で登りつづけながら希望をいだき、マカルー西壁などを目指すことができたが、手足の指を失ってしまったのは致命的なことである。

僕は長い間、温めていた最高の夢を諦めなくてはならない。

以前のようにトレーニングにも夢中になれず、手作りの人工壁や多数のピッケルやアイゼンには埃すら溜り、主を失ったかのように部屋のなかで冷えきっている。数日前の山歩きでは、初めてパートナーを長時間待たせてしまった。一年前までは、誰よりも早く登れる人間だったのに……。

最近、小さな岩や山を登っていると、体が自由に動いていたころのことをよく思い出す。難しいフリールートも登れた。八〇〇〇メートル峰でも苦しくはなかった。オーバーハングした氷壁も問題なかった。初登攀もたくさんした。それぞれを鮮明に覚えているし、良い思い出ばかりだ。

あのころのようにはもう登れないかもしれない。それでも僕は現在も登っている。岩を登っている感覚が好きだし、深い森の中を歩きまわっていると落ち着くのだ。僕には登る意義など本当に関係ないのだ。初心者に戻ってしまったが、また上を目指して一歩一歩、登っていこう。僕の二度目のクライミング人生は始まったばかりだ。どこまで行けるかわからないが、登っていこうと思う。

地形用語解説

オーバーハング……傾斜が垂直以上となり、覆いかぶさっている岩壁の状態。
カンテ……………岩壁に形成された稜角、あるいは岩壁中のかなり大きな突角。
クラック…………岩壁の割れ目。
クーロワール……急峻で巨大な岩溝。雪崩の通路となりやすい。
懸垂氷河…………急な崖にかかる氷河。その末端は重力でたえず崩壊している。
サイドモレーン…氷河の側面にとり残された岩屑や土砂の堆積。
スラブ……………表面に凹凸がなく、なめらかな一枚岩の岩壁。
雪田………………高山の壁面に張りついているほとんど氷化した雪。
雪庇………………山の稜線上の風下にひさし状に張り出した雪。
セラック…………氷河上にできる氷のブロック。氷塔。
チムニー…………岩壁中に縦方向に入った、体が入るくらいの割れ目。
ディエードル……本を開いて立てたような形態の岩壁。
テラス……………岩壁や岩稜上の岩棚。
ヒドンクレバス…降雪によって表面が隠された氷河上の割れ目。
ピナクル…………岩稜にあるとがった岩の突起。
プラトー…………台地。
フレーク…………岩壁の一部が魚の鱗のように薄い岩片となって浮いた岩。
ヘッドウォール…ルートの最終部分に立ちふさがる岩。
ベルクシュルント…山体の氷（雪）と氷河との境目にできる亀裂。
ベルグラ…………岩に張りついた薄い氷。
ボルダー…………氷河の堆石や氾濫した河川の跡などに取り残された岩塊。
モレーン…………氷河に運ばれてきて堆積した岩石や土砂。
リッジ……………比較的傾斜のゆるい尾根や山稜、岩稜。
ルンゼ……………クーロワールのドイツ語。
ロックバンド……山の斜面を横切る岩壁帯。

第一章　八〇〇〇メートルの教訓

ブロード・ピーク

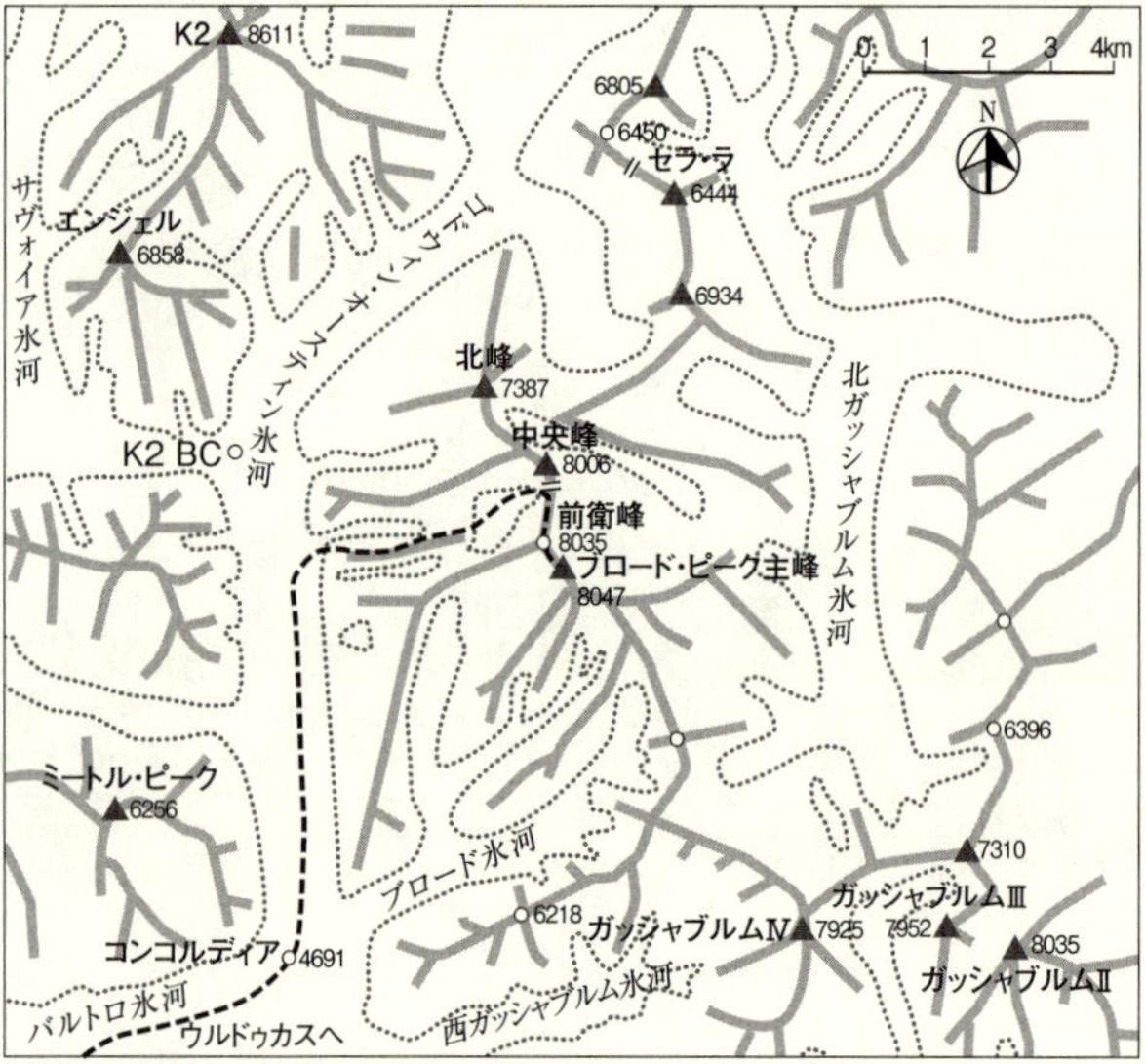
K2 8611
0 1 2 3 4km
N
6805
6450
セラ・ラ
6444
サヴォイア氷河
ゴドウィン・オースティン氷河
エンジェル
6858
6934
北峰
7387
北ガッシャブルム氷河
中央峰
8006
K2 BC
前衛峰
8035
ブロード・ピーク主峰
8047
6396
ミートル・ピーク
6256
7310
ブロード氷河
ガッシャブルムⅢ
6218
ガッシャブルムⅣ 7925
7952
8035
コンコルディア 4691
ガッシャブルムⅡ
バルトロ氷河
西ガッシャブルム氷河
ウルドゥカスへ

1

ギラギラした太陽の光、鼻の奥まで乾燥させる空気、緑が少なく茶色ばかりの大地と灰色の川、ここはパキスタン、カラコルム、バルトロ氷河。カラコルムのキャラバンは、予想通り僕の体を痛めつけ、道のりは長い。

しかし、十年以上前から僕はこの地に憧れていたのだ。

若いときから何冊ものカラコルムの登攀記を読み、どれだけ心躍らせたことだろう。僕にとっての英雄たちが、この土地にどれだけ情熱を傾けていたかも知っていたし、現在も誰にも触れられていない魅力的な岩壁や氷壁が存在していることも知っていた。多分、美しいという言葉では表現できない迫力を感じられるのだろう。

このままキャラバンを進めるにしたがい、どんな山々が僕の目に飛び込んでくるのか期待は大きい。また、今回が初めての高峰登山が、僕にとって新たな分野を切り拓くことも間違いない。今まで登ってきたフリー・クライミング、アイス・クライミング、そしてビッグウォール・クライミングとは違う大きな刺激を与えてくれることだろう。この登山が簡単に成功するとは思えないが、これからの夢のためにも最大限の努力をして頂を目指そう。

小さいころから、何をしても普通で目立たない子どもだった僕が、ひとつだけ変わっていたことがある。友達が怖がる危険なことを、勇気さえあれば必ずできると信じていたことだ。高さ一〇メートルはある場所から下の砂地にジャンプしたり、四階建て校舎の屋上のふちに手だけでぶらさがったりして友達をびっくりさせていた。このころから他人が怖がってできないことが、自分にはなぜかできるのだという信念のようなものを持ち始めていたと思う。そして何よりも、物心ついたときから冒険と大自然に興味があり、常に心の奥底には何かを実行したくてうずうずしている気持ちを持っていた。

小学校五年生のときに見た、ひとつのテレビが僕の人生を決定づけた。白い氷河、垂直の岩を登るクライマー。ともに宙吊りになった仲間を助けるために自らロープを切り、死んでいくクライマー。休日の午後、テレビに映し出された山岳映画は、将来、クライマーになろうという夢を与えてくれたほど衝撃的な映像だった。

今では考えられないが、当時、小学生向けの登山の手引き書が売られていた。内容は、歩き方から始まり、テントの張り方など技術的なことから、エドモンド・ヒラリーやテンジン・ノルゲイのエベレスト初登頂を再現したマンガなどであった。今でも記憶に残っているのは、ヒラリーとテンジンが山頂直下、巨大な岩の割れ目を最後に登り切り、頂上に立つシーンで、今でこそ初登ルートには岩の割れ目がないことを知っているが、長い間、このことを信じていた。

また、その本には「酸素ボンベを使わずエベレスト山頂を登った人間はいません」と書かれていた。他の人は勇気がないから挑戦しない、僕ならできる、いつかは必ず僕が成功させてやると、ひとつの大きく具体的な夢が芽生えた。

山に登り、岩をよじ登った。奥多摩や南アルプスは、山好きな叔父が連れていってくれた。疲れを知らない僕の持久力は、ほとんどの頂を楽に登らせてくれ、岩登りは専門書を片手に、手の使い方、足の置き方を石垣で学んだ。

十一歳のとき、クライマーの血を感じさせるひとつの出来事があった。家から自転車で二十分の場所に菱形のコンクリートを積み上げた高さ一〇メートルの石垣があった。前から気になる場所だったが、なかなか登り出す勇気がない。上のほうで行き詰まったらどうなるか。途中で下りて来られなくなったら、人に見つかったら警察に通報されるのでは……。しかし、いつかは挑戦しなければならない課題だった。

ある日、自転車を止め、周りに人がいないことを確認し、呼吸を整え、最初の一歩を踏み出した。コンクリートは湿っていない。足をハの字に広げ、指先に力をこめて登っていく。半分を過ぎたあたりから運動靴の摩擦力が気になり始め、上半身の動きが硬くなり、力が入り始めた。最後の一メートル、ここから落ちたら必ずケガをする。登り切れれば感動できるし、この石垣を忘れることができる。じりじり三〇センチずつ登る。周りの様子が見えなくなり、石垣だけに集中する。体の動き方は間違っていない。石垣のふちに指先をかけ、一気に体を引き上げ、右足を持ち上げた。ガードレールをつかんだとき、落ちなかったこと、成功したことがわかった。体中を血が駆けめぐり、胸が熱くなるのを感じ、自分がレベルをひとつ上げた感じがした。

中学生になると丹沢の沢登りや日和田山の岩場などに出かけるようになった。みんなが楽しくロープを使って登っている横を、ロープを着けず、登り下りを繰り返していた記憶がある。学校生活もおもしろくなく、週末に登ることだけが唯一の楽しみで、わずかな小遣いもすべて交通費に当てていた。

中学三年生のとき、社会人山岳会の日本登攀クラブに入ったことで、大学生や社会人と登り、レベルを上げていき、彼らを通して社会を学んでいったと思う。十六歳のとき、谷川岳の一ノ倉沢、穂高岳の滝谷、屏風岩などを登り、冬季登攀も試みた。

友人が進学や就職に悩んでいるのを横目に、僕のクライミングはさらに過激になり、一ノ倉沢のクラシック・ルートをロープを使わないフリー・ソロで登るまでに成長していた。確か、南稜は十五分、中央カンテは四十五分。凹状岩壁では岩の取付ですでに小雨が降り出し、何人かが「今日は止めた方がいいよ」と声をかけながら下っていった。ヘルメットをかぶり、菓子パンふたつと七ミリ五〇メートルのロープが入った小型ザックをかつぐと、すぐに登り始めた。核心部の垂壁では沢登りのように袖から水が入り、ホールドの摩擦はほとんどなかった。もしもこの岩から落ちて死んだら、家族も友人も誰もこの一ノ倉沢での挑戦を知らないので、びっくりしたことだろう。だが、凹状岩壁もあっけなく一時間で完登した。

高校を卒業するとすぐに、アルバイトで貯えた金を持ち、アメリカのヨセミテ渓谷に向かった。ここはクライマーにとって聖地のような場所で、いろいろなテクニックを学び、何よりも誰にも束縛されない自由を得た。それ以降八年の間、北米はもとより南米、ヨーロッパなど各地を回り、厳しい自然のなかで、高いレベルの単独登攀をいくつも成功させ、国内ではかなり知られるアルパイン・クライマーになっていた。すなわちヨセミテはエル・キャピタン、アルプスはドリュ西壁、バフィン島はトール西壁、冬のパタゴニア、フィッツロイ南西岩稜と、一流のルートを単独登攀し、大自然のなかで登り生き残るための強い精神力を身につけたのだ。

しかし、高所、特にヒマラヤに憧れていたものの、僕は二十六歳になるまで標高五〇〇〇メートルに一度行っただけの経験しかなかった。

一九九〇年秋のある日、都内で開かれた高所順応研究会に参加した。五十人近い人が高山病や高所順応についてレクチャーを受けていた。しかし、僕は昔から椅子に座って何かを学ぶのが苦手で、なおかつとても天気のよい休日に部屋にいることにストレスを感じていた。しかし、この日があったからこそ、ヒマラヤの高所への道が開けたと思う。僕はこの日、カラコルムにあるブロード・ピーク（八〇四七メートル）を計画している東京都山岳連盟の川嶋保幸隊長をはじめ、メンバー達とも知り合い、いつの間にか月に何度か池袋で行なわれるミーティングに田端のアパートから自転車で通うようになった。

ミーティングでは食料や装備の細かな計算がされ、皆が動けるタクティクスを考え出した。僕はそれまでソロ・クライミングがほとんどだったから、食料計画などは頭の中で計算するだけ、タクティクスは本当の山を見てから考えることが多かったので、違和感を感じていた。また、今日でも大きな遠征隊にありがちな企業からの多すぎる装備の提供も、現地で礼状書きする手間まで考えると、シンプルとは言えなかった。

ブロード・ピーク遠征隊への参加を正式に決定してから本格的にトレーニングを開始した。奥秩父や八ヶ岳をランニングし、三月には谷川岳の滝沢第三スラブを出合から稜線まで二時間三十分で突破し、体力への自信をさらに深めた。メンバー全員で白馬岳主稜などに向かい、チームワークを高めることもした。僕は、途中参加の立場だけに、少しでも自分の力を認めてもらいたい気持ちでいっぱいの山行であったと思う。

出発一カ月前になると、荷物を別送するための箱詰めや番号札付けなどをしたり、リストを作ったりした。全員で行なうこのような仕事も、隊員の気持ちを高めるうえではよいことではあろうが、ヒマラヤのエクスペディションといえども、個人旅行に近い形で行なうのがベストであろうと心の中では考えていた。

このブロード・ピークに参加するための資金を貯えるのには苦労した。当時、多くのクライマーがしていた窓ガラス清掃の仕事を僕もしていたが、アパートでの自炊もギリギリのものしか食べないようにしていた。なるべく新しい装備を買おうと思っていたが、最終的にはダウンジャケットを日本登攀クラブの先輩、根岸利夫氏からもらい、毛の帽子はメンバーの長尾妙子に作ってもらうことにした。

2

一九九一年五月、パキスタン、イスラマバードの空港に降り立った。長い間、思いこがれていたこの土地は、すべてが予想通りの強烈なイスラムの世界だ。女性はほとんど見かけず、長身の浅黒い男ばかりが目立つ町。香辛料たっぷりのカレーとチャパティ、そして甘いミルクティ。一度迷ったら二度と出てこられないだろう、複雑なラワルピンディのバザール。とどめは無数にいるハエ。もちろん、メンバーのほとんどが下痢に苦しむ。しかし、時間がたつにつれ、全員がこの土地に慣れ始めた。海外でのクライミングを成功させるには、まず環境に慣れなくては登山自体失敗する可能性がある。

アスコーレはキャラバンの出発地点になる。この村は時代に取り残されたかのように、石を積み上げた小さな家と、痩せたヤギと牛たち。日本ではあまり見かけられない病気を持った老人。唯一、ほっとするのはアプリコットの木とピンク色のそばの花畑。

僕達は、八日間かけてベースキャンプまでキャラバンする予定である。百人ものポーターは自作の背負子を持っている者もいれば、ロープだけでかつぐ者もいるので、二五キロの荷物をそれぞれのやり方で運ぶ。彼らがユニークなのは、三分ほど走るようにして運ぶと、二〜三分休みを入れる。これは後年知ったネパールのポーターと大違いだ。ネパール・ポーターは休まずに歩く。

僕は彼らとの会話はできないが、一緒に歩くことはキャラバンの楽しみのひとつにもなった。隊員のなかでもっとも硬いパンをポーター達からもらったことがある。岩塩とチリのようなものを混ぜたものをパンにつけると最高の味がし、パワーが出たものだ。

キャラバン前半は白い雪山は見えないが、岩場をトラバースしたり、激流を渡ったりとバラエティに富んでいた。夜はカレーとチャパティだが、ポーター達と一緒にダンスをしたり、とてもおもしろい毎日だった。

キャラバン後半、ウルドゥカス近くになると、標高も四〇〇〇メートルを超え、美しい景色が次から次へと展開し始める。最初に登場するのはトランゴ山群。ネームレス・タワーにグレート・トランゴ。そしてブロード・ピーク登山後、他の友人と挑戦する予定の標高差一五〇〇メートルのカシードラル南壁。どれも小さなときから憧れ、写真を見つづけてきた岩壁ばかりだ。氷河の上流、コンコルディア方面を見ると、輝く壁、ガッシャブルムⅣ峰西壁。その左には僕達が目指すブロード・ピークが尾根の向こうに見え隠れしている。まさしく高峰である。

六月十七日、標高五〇〇〇メートル、雪と氷と岩だけの世界。モレーンの上にベースキャンプを設置した。

「ここから見るとガッシャブルムⅣ峰西壁も傾斜ないね」と僕が言うと、ほとんどのメンバーは一瞬、「何を言っているんだ」という顔をしている。

「それにしてもK2は大きいなー」

「さすがにブロード・ピークと比べちゃうとね」

「ブロード・ピーク、けっこう小さいね」

「ベースキャンプから頂上まで二十四時間で登れるんじゃないの」

などと勝手なことを言い合う。八日間の行動でポーター達も疲れ果て、頭痛を訴える者もいるが、ボーナスを含んだ給料をもらい、皆、にこにこしながら走るように家へ戻っていった。

ベースキャンプにはすでにイエティ同人隊や東京農大隊などの日本隊が西稜にルート工作に入っている。僕達が目指すブロード・ピークの一般ルートである西稜は、全体像は見わたせないが、岩と雪の塊が複雑に上に向かっていて、セラックからときどき雪崩が発生している。氷河の最奥には、あのK2がそびえ立っている。青空に向かってまっすぐ突き上げた頂、均整のとれたピラミッドのような形。山として完璧であり、ひときわ高い印象を与える。

この時点では体のコンディションはよく、呼吸に乱れは感じない。僕以外の六人も高所経験の豊富な隊員で、コンディションは良いようだ。

しかし、これから頂を目指すうえで良いことばかりではない。

途中参加なので意見を言える立場ではないが、常に皆が一緒に行動し、一緒に食べ、一緒に寝る。これらは精神的に楽なこととは言えない。そもそも山を登る人間は個性が強いと思うが、今回の八人のメンバーに限って言っても、年齢も違えばブロード・ピークへの思い入れも違う。また今までに登ってきた山も体力も持っているテクニックも違う。このような混成メンバーでひとつの目標に夢と命をかけ、一緒に行動することは精神のバランスを保つために、ある程度、個人の気持ちを無視しなくてはならない場面も出てくる。

実際に登山が開始されて数日たったころ、僕の行動が集団登山に影響を与える場面があった。僕達はブロード・ピークの取付を目指して氷河を遡っていた。ルートである西稜へは氷河をかなり余分に登り、右に横断して今までは取り付いていたのだが、メンバーの後方を歩いていた僕と長尾妙子は彼らから離れ、氷河を最短距離の所で横断してしまった。どう見てもこのルートの方が理にかなっていると感じたのだ。実際、こちらの方が体力的にも楽で短時間で突破できたのだが、上部で合流したとき、メンバーの一部は凄い剣幕で僕達を非難した。

「なんで勝手な行動を取るんだ」

「同じメンバーなんだから別行動はやめろよ」

「そんな事をしていたら、隊がバラバラになってダメになっちゃうぞ」

僕は、今まで心の中にためていた気持ちをその時、爆発させてしまった。

「たいした時間、離れていないじゃないか」

「それにこのくらい自由に登らせてくれてもいいじゃないか」

だが、僕達の行動がチームの和を乱すことになってしまったのだ。

この一件以来、僕はどこかでいつも自分自身を抑えながら登っていたと思う。よほど我慢していたのか、このブロード・ピークのベースキャンプでいつも流れていた、普通ならば愉快になるはずの「となりのトトロ」のテーマミュージックを聞くと今でも胸が苦しくなってくる。

登山方法は酸素ボンベや高所ポーターなどは使わないが、ルート全体にロープをフィックスし、キャンプ間を何度も荷揚げする極地法で、少々飽きることになる。

世界のトップクライマーが、アルパイン・スタイルで難しいルートに挑戦しているのに比べるとまったく正反対の方法で、また僕が目指す登り方とも違うが、今回はヒマラヤのスケール、そして高所について勉強する意味では極地法も悪くはないかもしれない。高山病を経験したことのない人や知識のない人は、同じ所を何度も往復することによって体が低酸素のなかでどのように反応し、時には脳の働きと行動がどれだけ鈍るかも理解できるだろう。

休養日を入れ、すぐに行動開始。すでにフィックスされているロープに登高器をかけ、荷揚げする。第一キャンプまでは高峰とは思えないほど雪が少なく快適で、散歩しているようだ。

七月二日には七一〇〇メートルに第三キャンプが作られ、ここまではすべてが順調。体の奥まで酸素が行きわたっているのがわかる。足に力がみなぎっているのもわかる。今のところ良いコンディションである。今すぐにでも頂上に向け、アタックできそうだ。しかし、全員登頂を目指しているだけに、全員のコンディションが完璧になったときに初めてアタックに入ることになっており、個人の意見や勝手な行動は許されないジレンマがある。

僕達がベースキャンプで休養中に、最初にイエティ同人隊が頂上へアタックした。彼らがルートのほとんどにロープをフィックスしていたので、登ってもらいたかった。しかし、かなりの雪が降り、敗退。予備日もなくなり、残念ながらベースキャンプを去ることになった。彼らのなかで力強く、とても真面目な戸高雅史氏とはガッシャブルムに、意思が強くほとんど完璧な女性クライマー、遠藤由加とはチョ・オユーに、後年、一緒に行くことになる。

七月十日、僕達もアタック。初日に一気に第二キャンプ、六四五〇メートルまで上がる。全員がアタックの緊張と高山病のためか興奮気味。狭いテントの中での食事やトイレのための出入りに神経が過敏になり、情緒不安定になる。ふたつのテントに四人ずつ入ったのだが、窮屈でたまらない。誰しも明日のためによい位置で眠りたいから、いつどこに寝袋を置くかタイミングを計り、牽制しあう。入口よりも奥に入りたいのが人情だ。そして食事中は少しでもたくさんお茶を飲み、たくさん食べて体力を回復させたいと考えるものだ。しかし、特にお茶は一回にできる量に限りがあり、ひとつのコッヘルから回し飲みするときは、誰がどれだけの量を飲むか皆がいつもよりも目を光らせ気にしているのを感じてしまう。

「俺の分までとっておいてくれよ」

「それよりたくさん飲みたいからもっと作ろうよ」

「それにしてもテントが小さすぎて窮屈だなー」

これは正しい反応だから仕方ないが、たくさん水分をとると何度もトイレに行くことになる。

「悪いけどちょっとどいてくれ」

「またトイレに行くのか」

「踏まないでくれよ」

寝ている人の間に足を突っ込み、またいで外に出なくてはならない。この高所でも全員が何かしら我慢して、自分を出さないように気をつけているのが感じられる。何かひとつ間違えると、取り返しがつかなくなるくらいピリピリしたムードだった。

翌日には第三キャンプまで上がって、全員食欲がなくなり行動が鈍くなる。明日は農大隊が上部の第四キャンプから、僕達がここから頂上を狙う。

狭いテントと息苦しさからあまり眠れないまま翌朝を迎えた。登山靴を履き、スパッツを着け、アイゼンを装着するのに一時間以上かかる。すべての動作がゆっくりだ。

闇のなか、スーハー、スーハーと呼吸音だけが耳に入り、先頭の人のステップだけを追う。農大隊の第四キャンプを過ぎると日が昇り出し、周囲の山々が幻想的な色に染まり始めた。空は紺色のまま頂上付近だけがオレンジ色に染まり、K2上部は水色に変わってきているが、冷気が漂っているのがわかる。ブロード・ピーク中央峰と主峰のコルに上がるころ、皆のペースがばらばらになり始め、僕自身も冷たい空気が肺に入り過ぎたためか咳が止まらず心拍数も上がった。

七八五〇メートルのコルに着くと、ゴーッという音とともに雪煙が舞っている。まるでダイヤモンドダストを見ているようだ。農大隊はすでに頂上付近にいる。

「時間は足りるかな?」と僕が言うと、増田隆さんが「みんな行動がばらばらになっているよ」、小西浩文さんは「頂上まで届かない」と言う。

常に前進したがり登山に関しては絶対諦めないタイプの僕だが、この時ばかりは彼らの考えが正しいように感じた。頂までの距離はそれほどないように見えるが、これは錯覚で、この山のスケールを理解していないからなのだ。八〇〇〇メートル

ブロード・ピーク西面
ヴォイテク・クルティカ撮影

近い稜線に座り込んだ僕に、中国側から飛んできた雪粒が鼻と唇に当たってとても痛い。薄い酸素のために、まるで頭の芯が空洞になったかのように思考が働かなかった。十分ぐらい経過しただろうか。この時点で、今回のアタックは残念ながら中止となり、ベースキャンプに下山することにする。それでも皆、気分は落ち込んでいない。

むしろベースキャンプに戻れ、ホッとしていたような気がする。もしもこのままアタックを続けていたら、僕達はとても危険な状況になっていただろう。たとえ登頂できたとしても疲れきり、そして暗闇のなか、下山することをかなり恐れていたと思う。

実際に下山中、高所登山の怖さを思い知ることになった。六七〇〇メートル付近でひとつのアクシデントが起きてしまった。僕が先頭で下っていると、後から歩いてきた増田さんが「あれっ」と言ってスリップし、七〇メートル以上落ち、そのままセラックを越えてしまった。僕が駆けつけると、増田さんは大丈夫だったが、高所でのスリップだっただけに、体には大きなダメージを残したようだ。フラフラになりながらベースキャンプに下山できたものの、何日経っても調子が戻らず顔が腫れている。川嶋隊長に付き添われてヘリコプターでスカルドに戻ることになった。この事故で二人のブロード・ピークは終了したことになる。

この一回目のアタック以降、毎日、稜線に雲がかかったり小雪が降ったりするので、次のアタックのチャンスはなかなか訪れなかった。しかし、実際に行動してみると、予想しているよりも山の中は悪い状況ではない場合が多い。長年の経験からそれを知っているだけに、少々の悪天候でもアタックしたかったが、やはり全員の意見が一致しなければ動けない悔しさがあった。

「もしも、この登山が単独だったならば……」

僕はこんなことをベースキャンプ近くの岩の上に寝転び、流れる雲を見ながら毎日考えていた。

「一人だったら、とっくに二度目のアタックに出ているはずだ」

ほかのメンバーは本当にやる気があるのだろうかとさえ思ってしまう。

「ブロード・ピークの頂が日に日に遠くなるのを感じないのかなあ」

「もうすぐカラコルムに冷たい風が流れ始めてしまう」

「やはり山への思い入れがあまりにも違うのか」

いろいろ考えると、何度も涙が出そうになった。いつの日かヒマラヤでも自分の考えだけで行動し、結果を出してみたい。

「どんなに自分の考えが甘くても、たった一人でヒマラヤの高峰と向き合い、自然を感じ、アタック・チャンスを見極め、全力で挑戦したい」

このころ、とても強くそう感じていた。

僕は気分を変えるため、毎日、氷河上に転がっている巨大な岩でボルダリングを楽しんだ。高さ五～六メートルのボルダーでは、落ち方を失敗すると骨折する可能性もあったが、いつの間にか自分の思うように向かえないブロード・ピークの頂よりも、何回やっても登れない小さくオーバーハングしたカンテの方に夢中になり始めた。毎日毎日、ボルダーに挑戦していると、本来持っているクライマーとしての本能のようなものが戻ってくる気がする。ヨーロッパ・アルプスの冬季グランド・ジョラス北壁などを登り、優秀なロッククライマーである長尾妙子や、もともとスポーツ・クライミングに興味を持っているエネルギッシュなクライマー、阿部正巳さんを誘い、ボルダリングを楽しんでいた。

真剣になればなるほど、僕の持っている力はこんなもんじゃない。力を出しきれば、どんな場所でも登れるんだと心の中で叫んでいた。ブロード・ピークへの気持ちを少しでも遠ざけようと思って始めたボルダリングだったが、頭の中はますますブロード・ピークのことでいっぱいになってしまった。

3

七月二十七日、二回目のアタック。どちらかと言えば、ワクワクした期待感はほとんどなく、何か決意みたいなものがあったかもしれない。

「頂に立つまで戻ることはないぞ」という……。

全員高所衰退したのだろう。スピードが上がらない。僕達は二度も高所に荷揚げし、また五〇〇〇メートル以上あるベースキャンプにあまりにも長く滞在していたので、全員が重要な足の筋肉を失いかけている。何か病気にかかった人間のようにゆっくりゆっくりしか歩けず、僕も足に錘《おもり》をつけられたようにプラスチック・ブーツを履いた足を上げるのに苦労した。

前回アタックに出発した第三キャンプからさらに上部、七四五〇メートルに第四キャンプを設置し、そこから頂上へ向かうことになった。

七月三十日午前一時三十分出発。八人いたメンバーのうちすでにベースキャンプを去った川嶋さん、増田さん以外に、この頂を目指すメンバーのなかに若林次生さんもいない。昨日、第四キャンプに着いたときから決めていたらしく、体力の限界を感じてアタックを止めたのだ。頼もしく僕の精神的な支えでもあり、日本にいるときから財布の中にブロード・ピークの写真を入れ、今回の登山をとても楽しみにしていた若林さん。それだけに、若林さんがここにいないのは悲しかった。

七時三十分、七八五〇メートルのコルに上がると、風もなく視界も良い。中国側に雪庇が張り出した稜線はいくつもの起伏があり、頂は見えない。まずは前衛峰を目指す。途中、前回、山頂に立った東京農大隊のフィックス・ロープがときどき出てくる。先頭を行く阿部さんのトレールを追う。呼吸は乱れないが、二十歩行っては立ち止まらなければならない。阿部さんはゆっくりだが確実にラッセルし、その後ろを小西さんがフィックス・ロープをチェックしながら進む。僕の後ろには吉村哲明さん、長尾妙子が一〇メートル間隔でついてきている。

一時間はあっという間に過ぎて、徐々に時間の感覚が失われてきた。時計を見るのもだんだんめんどうになってくる。ましてザックからカメラを取り出し、写真を撮る気も起きない。ここでは地上の三分の一しか、体に酸素が入らないのだ。ただただ歩くのみ。むしろテクニックを必要とする稜線ならば、少しは集中力が増すのだが……。

前衛峰に立つと、風に飛ばされ茶色の岩が露出した弓形の尾根が山頂に向かっている。ここに、要らないグローブを置いていく。風はなく、むしろ暖かさを感じる。阿部・小西ペアは山頂直下で最後の数メートルを登っている。僕、長尾、吉村も一時間以内で頂に着けるだろう。最初は少し下り、今度こそ最後の登りになった。アイゼンがいらないくらいに花崗岩が剥き出しになっている。普段、この場所は風が強いのだろう。右手でピッケルを握り、左手でざらざらした花崗岩を触りながら体のバランスを保ち、歩いていく。先ほどの辛さが嘘のように、徐々に夏の南アルプスを歩いているように体が軽くなってきた。

尾根の中間部で、先に登頂したペアとすれ違い「がんばれよ」「ああ」と短い会話の後、僕達は頂に向かい、左に上がっていく。天空に登りつめているかのように、体がふわふわし、味わったことのないバランス感覚。いつからか呼吸も楽になり、今までにあったいろいろな問題も忘れ、リラックスした気分のなか、足を前に出す。

午後二時、山頂に到着。三メートル先が最も高そうだったが、雪庇が張り出しているのでここで止めておこう。すぐ近くに見えるガッシャブルムⅣ峰はすでに足下になり、長いキャラバンをしたバルトロ氷河も遠くに見える。僕は初めてのヒマラヤ登山で、八〇〇〇メートルの頂に立てた幸せな人間になったのだ。この場所が僕には天国のように感じてしまった。

「ポーズをとるから記念写真を撮ってくれ」

「暖かいね、寝ていきたい」

「そんなに疲れなかったね」

三人ともまるで日本の山にでもいるように、勝手なことを言いながら、この時間を楽しんでいた。しかし、肉体の疲労をそれほど感じてはいないものの、なぜかあまりにも高い場所に来た感じがして、少し不安になったのも事実だ。多分、高所が持つ独特の怖さをなんとなく体が感じていたのであろう。

僕達三人は頂から少し下り、風の当たらない場所に行き、少し横になった。あまりの睡魔で寝てしまったのか、一時間近くこの場所にいたようだ。

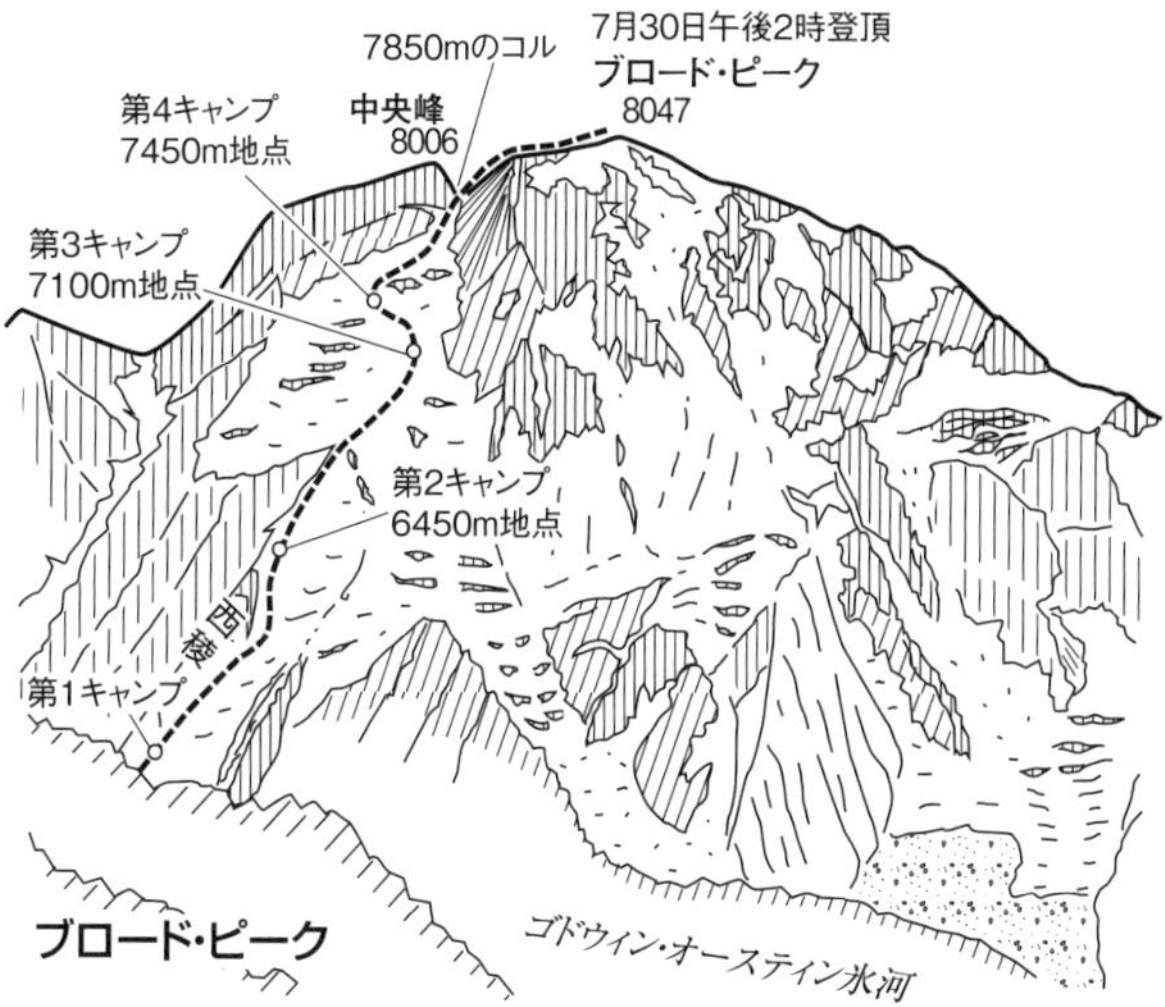
7月30日午後2時登頂
ブロード・ピーク
8047
7850mのコル
中央峰
8006
第4キャンプ
7450m地点
第3キャンプ
7100m地点
第2キャンプ
6450m地点
西稜
第1キャンプ
ブロード・ピーク
ゴドウィン・オースティン氷河

「下りよう」

「早くしないと暗くなる」

だらだらと下山を開始。長い間、死の地帯にいたことを忘れていたかのようだった。コルに着くころは、吉村さんはかなり体力を失っていた。僕は体力は十分にあったが、高所の影響か下山ルートがわからなくなり、長尾妙子と言い合いをする。

「このあたりから左に下りないと、キャンプに戻れないよ」

「ヘッドランプをコルに置いてきたのを覚えてないの。もっと下りて、中央峰とのコルから下りるのよ。本当に覚えてないの」

「絶対ここから左に行くんだ。俺はちゃんと覚えている」

実際は長尾の言うとおり、コルまで行くのが正しかった。闇のなか第四キャンプを目指すが、ますます時間の感覚を失い、自分たちの行動を正しく理解できなくなっていたと思う。八〇〇〇メートル峰の頂からの下山はもっとも危険な時間帯だ。誰もが集中力も体力もわずかになってくる。長尾は比較的元気だが、オーバーシューズにアイゼンが合わないらしくときどきスリップし、吉村さんは体力を使い果たしすぐに座りこむ。僕はといえば体はしっかりしていたが、相変わらず自分がどこに向かっているのかはっきりわからず、ただなんとなく下に向かって歩いているだけだった。ヒマラヤでの遭難はこうした状況がもっと悪くなったときに起きるのであろう。僕達が、昨日、出発した最終アタック地点である第四キャンプに戻ったのは、二十四時間も経過した午前一時になっていた。

確かにブロード・ピークでは、ソロ・クライミングばかりしてきた僕にはいろいろ辛いこともあった。このブロード・ピーク登山で残念に思ったことは、山がよく見えなかったことだ。八〇〇〇メートルにおける稜線の形、風の香り、雪や岩の鮮やかさ、そうしたものがはっきりと記憶に残っていない。思い出されるのは人の顔ばかりだ。それぞれ良い人ばかりだったが、隊員どおしのあまりにも複雑な心の動きばかりが気になる登山だったと思う。僕は、山との一体感をほとんど味わうことなく終わってしまったように思う。

しかし、こうしたブロード・ピークからも、与えられたものはたくさんあった。このブロード・ピークがあったからこそ、新たな扉が開かれたとも言える。僻地のビッグウォール・クライミングではわからなかった、高所に体がどのように反応し、またダメージを受けるか。そしてなによりもヒマラヤのスケールを理解できた。

期待していたとおり、頂はいつも遠く、持っている能力をすべて引き出さなければやすやすとは登らせてくれない。常に肉体の能力を最大限に引き出したいと思っている僕には最高の舞台である。トレーニングし、知識を深めなければ生きて帰れない場所なのだ。

僕はより一層大きな夢を持ち始めていた。

多くのクライマーが登る一般ルートと訣別し、技術的に難しい、未知のルートを求めよう。また大きな遠征隊が行なうようなフィックス・ロープの設置を止め、日本やヨーロッパ・アルプスでやる登攀のように、大自然の力を感じ、自由に行動できるスタイルでこれからは挑戦しようと思った。

僕がどこまで突き進めるかはわからない。しかし、とてもやりがいのあるものを見つけたことだけは確かだった。

山登りで心配をかけ、山登りで親孝行　両親

最近、今までに登ってきた山のスライドを見せながら、講演することがある。そして講演終了後には、必ずといってよいほど同じ質問をされる。それは「両親は反対しなかったのですか」というものだ。講演は若い人はもちろん、すでに子どものいる人や孫のいる人までが聞きに来ているので、常に危険と隣り合わせの行動をする息子を持った親の気持ちが気になるからだろう。

思い返せば、僕の父親は過去に一度、反対した以後は、僕の生き方や登山について反対をしたことがないと思う。しかしその一度も、反対されたという生やさしいものではなく、父親と登山について体をはった大喧嘩をしたのだ。それは中学三年のとき、僕は一人、独学でクライミングをしていたのだが、千葉県の鋸山で墜落して大ケガをしたことがある。全身傷だらけで家に帰ってきた息子を見て、受験勉強もせずクライミングばかりして、そのうえケガまでして、ついに父親の我慢も限界にきてしまったのだ。

そのときの記憶は今でもはっきりしている。「いいかげんにもうクライミングを止めろ」と父親が大声を出した瞬間、僕と取っ組み合いの喧嘩になってしまった。

「クライミングを止めさせるなら俺を殺せ」

僕は泣きながら叫んでいたと思う。二人とも本当に必死だった。

この一件で、実は父親の肋骨にひびまで入ったが、僕が社会人の山岳会に入り、基本から教わるということで、登りつづけることを了解してくれたのである。それは、僕の情熱が伝わったというよりも、子どもに好きな道を歩ませたいという両親の理解があったからこそできたことであろう。それ以来、反対された記憶はなく、むしろ陰ながら応援してくれているようにさえ思える。

母親は、本当に一度も僕の生き方について反対したことがなかった。高校卒業後、初めてのアメリカ、ヨセミテ国立公園への出発前、母親は、クモ膜下出血で倒れたが、アメリカに向かう息子を止めることはなかった。僕は両親に恵まれたからこそ、現在があるのかもしれない。

それでも僕が外国に行っている間は心配でならないようだ。両親は小さな家庭菜園を持っているが、僕が外国に行っているときは野菜に害虫がついても殺せなくなるという。また夢の中で僕が死んでしまう場面が出てきても、翌朝、夢について語ることはないという。どれだけ心配なのかは、人の親になったことのない僕には本当のところはわからない。捨て猫を飼っていたことがあるが、僕はその猫が二、三日でも家に帰ってこないと、死んでしまったのではないかと心配で心配でならないくらいであった。ましてそれが自分の子どもであったなら、大変なことであろう。

せめてもの償いというわけではないが、僕がスポーツ賞や冒険賞などをいただいたときには、受賞式に両親も出席してもらうことにしている。本当は恥ずかしいのだが、しかし、本人よりも両親が嬉しそうにしているのを見ると、心配をかけた埋め合わせが少しできたような気持ちになれる。

最近は、うれしいことに両親が山歩きをしている。特に母親は、月に一度くらいのペースで低山に登っている。僕もつき合って富士山や金峰山に一緒に登ったこともあるが、山登りで心配をかけ山登りで親孝行するのは何か不思議な感じでもある。しかし、親子で登る喜びを分かち合えるのもなかなか素晴らしいことだ。

第二章　ソロ・クライミングの蘇生

――メラ・ピーク西壁とアマ・ダブラム西壁

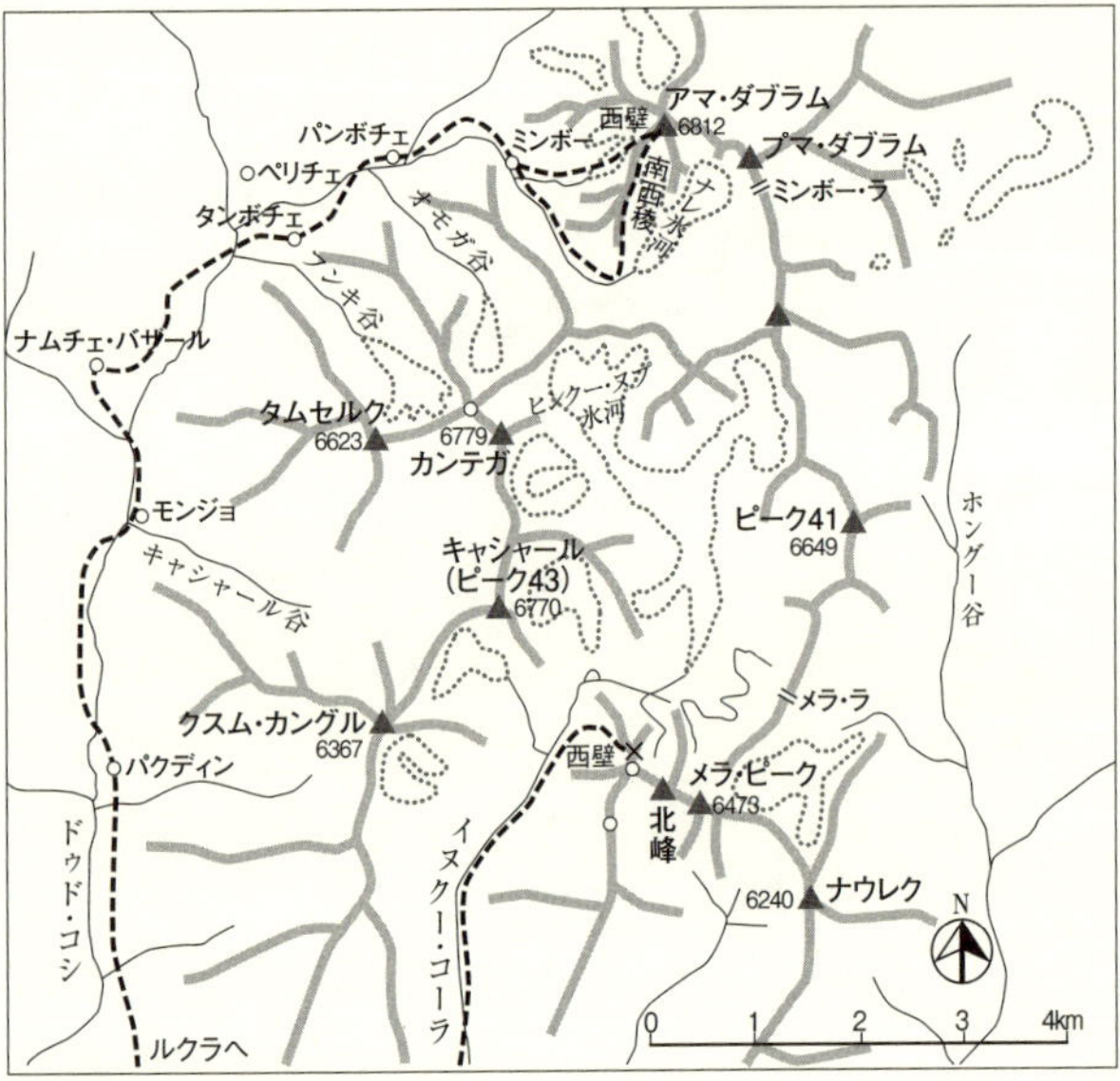
アマ・ダブラム
西壁
6812
プマ・ダブラム
ミンボー・ラ
パンボチェ
ミンボー
ペリチェ
タンボチェ
南西稜
ナレ氷河
オモガ谷
フンキ谷
ナムチェ・バザール
タムセルク
6623
6779
カンテガ
ヒンクー・ヌプ氷河
ピーク41
6649
モンジョ
キャシャール谷
キャシャール
(ピーク43)
6770
ホングー谷
メラ・ラ
クスム・カングル
6367
西壁
メラ・ピーク
6473
北峰
パクディン
ドゥド・コシ
イヌクー・コーラ
6240
ナウレク
N
0
1
2
3
4km
ルクラへ

1

毎年、徐々に大きな、そして厳しい自然へと、ビッグウォールを単独で求めてきた。取り付きさえすれば、完登できるという自信を持ち始めたころ、ソロ・クライマーとして名高いスロベニア人、トモ・チェセンがジャヌー北壁をなんと単独で登ってしまった。これに刺激された僕は、早く自分もヒマラヤの壁をソロで駆け抜けてみたい気持ちでいっぱいになった。

クライミング・テクニックには多少自信はあったが、高所は知らない。そんなとき、カラコルムのブロード・ピーク遠征に参加する機会を得た。この遠征は僕にとって初めての高所登山であり、初めてのチームを組んでの登山となった。確かに技術的には問題なかったが、頂上を往復することによって、自分の体が高所でどのように変化するかを勉強できた気がするし、何よりもヒマラヤのスケールが理解できた。

帰国すると、すぐに次の計画としてとびきり難しい山、ガッシャブルムⅣ峰を選んだ。ガッシャブルムⅣ峰は、ブロード・ピークの遠征時に初めて間近で見ることができた。七九二五メートルと八〇〇〇メートルにはわずかに足りないが、K２に引けをとらない風格のある独立峰に思えた。考えられる弱点はわずかしかなく、高度なアルパイン・クライミングを実践できる最高の舞台に思えたのだ。もちろん、ソロ。周りからは「ヒマラヤへ一度行っただけで」と言われたが、可能性はあるだろうと自分で計画を進め、いっそうハードなトレーニングをした。しかし、一九九一年十二月十七日、あの悪夢のようなアクシデントで、一瞬のうちにこの計画は流れたのである。

その日はいつになく順調だった。いつものように背負子に結びつけた三〇キロの荷物を担ぎ、富士山の頂にある測候所を目指していた。アイゼンが心地よく雪に刺さり足取りも軽く、風も少なく天候も素晴らしい。

当時、気象庁御殿場事務所は、冬山経験があり、丈夫な体をもつ人材を捜していたので、僕は強力の仕事を手に入れることができた。

もともと富士山の強力を始めたのは、月に三、四回、富士山に登ることにより常に初期の高度順化が得られると思ったからである。それに軽装備でのスピード・クライミングには自信があったもののラッセルする筋力が不足していたので、脚力をつけるために、この仕事を選んだのだ。

そしてこの日、それほど疲労を感じることもなく山頂にたどり着き荷物を下ろすと、ほとんど休まずに下山に移った。太陽の光が強く暖かで、次に予定しているガッシャブルムⅣ峰について思い巡らせながらのんびりした気分で下りていた。

その時だ。何かが左足に当たったと思ったとき、不意に体を支えられなくなり、倒れてしまった。下の方には頭ほどの石が落ちていく。最初、何が起きたのかがわからなかったが、左足を見た瞬間、すべての事態を理解し愕然としてしまった。落石が当たったのだ。足先が脛の真ん中から不自然に外側に向き、ねじれ折れているではないか。

「ガッシャブルムⅣ峰が……」

最初に頭に浮かんだのは、この事だった。これからどのように下山するかということよりも……。トレーニングとして登っていた富士山でのケガで、完全にガッシャブルムⅣ峰が遠去かってしまった。

一度は自力で富士山からの下山を試みた。腰を落とし両足を雪面になげ出し、車イスを動かすように両手に力を入れ一五センチずつ下る。体を移動させるたびにアイゼンを着けているかかとがでこぼこの雪面に引っかかり、折れた脛は山のように持ち上がる。痛みは激しく、連続しては動けなかった。パートナーの強力は、山頂にいる測候所の職員に救助の応援を求めるため再び頂上を目指して登っていった。僕は一人、風を受けながら横たわり、何度も心の中で「くそー」と叫んでいた。痛みを我慢していたというよりも、ガッシャブルムⅣ峰の計画がダメになった悔しさだったと思う。

数時間後、スノーボートで下ろされ、救急車に乗せられて御殿場の病院に収容された。

長い闘病生活の後、ブロード・ピークを一緒に登った長尾妙子と奥多摩の山の中で生活するようになった。二人とも自然を愛していたし、またなるべく人のいない静かな場所で暮らしたいと考えていたので、谷間に建てられ少々日当たりは悪いが、川の音しか聞こえない家は新たな出発点となった。古い家だがたくさんの山道具を収納する場所もあったし、小さいながら人工壁も設置でき、周りにはトレーニングに適した山や岩場がいっぱいある。家のすぐ下にはボルダリングができる川原があり、東京のクライマーに親しまれている白妙の岩場も車で十五分くらいの所にある。そして時には夜になるとタヌキやシカが出てきて、僕達を和ませてくれることもある。

足は不自由だが、生活環境を変えることにより新たな夢が見えそうな気がした。また妙子も秋のマカルー（八四六三メートル）登山で凍傷になり、何本もの指を失っていたので、二人にはとても良いリハビリの場所になったのだ。毎日、近所を散歩し、岩場ではトップロープで5・10ぐらいのルートを片足で登り、楽しんだ。ここでの生活は、必要のないクライミング界の情報も入ってこないので、ゆっくりマイペースで物事を考えられたと思う。しかし、やはりどこかで焦りがあり、なかなかうまく復帰できない体にいらいらした日があったのも事実だ。

六月に入って、近くの山にハイキングに出かけるようになったが、コースタイムが二時間のところを六時間、あるいは七時間かかったこともある。カモシカスポーツの笹原芳樹さんからは冬季アマ・ダブラム（六八一二メートル）に誘われていたが、これでは無理だなと思いながらリハビリを行なった。

七月に入ってもうまく歩けず、ロック・クライミングに重点をおき、フリー・クライミングとアプローチのないロングルートに対象を求めた。フリー・クライミングは数本の5・12、そしてロングルートは谷川岳一ノ倉沢の烏帽子奥壁ディレッティシマ、明星山のクイーンズウェイ、マニフェストの三本を単独初登攀できたが、ハイキングの方は六月と同じスピードでしか歩けなかった。

2

そんな僕が秋にはネパール・ヒマラヤ、メラ・ピーク（六四七三メートル）西壁にダイレクトルートの開拓を、そして冬季アマ・ダブラム西壁を、どちらもアルパイン・スタイル、単独で登る大胆な計画を作り上げたのだ。自分でもそのアホさ加減にびっくりする。ケガによる体と心の打撃があまりにも大きかったといっても、今回の富士山での事故は、今までにいくつか経験しているケガのなかでも最も辛いものだったのだ。ガッシャブルムⅣ峰という明確な計画が目の前に迫っていたのに、それに挑戦できない悔しさ。次の目標がなくなり、夢を見られない辛さは忘れられない。入院して三日もすると、足の痛みがまだあるのに僕は無性に登りたくなった。それには理由などない。

「ただただ、手に力を入れ、足を踏ん張り岩を登りたい。高みに行きたい」

それだけだった。それに加え友達が持ってきてくれる今までに見たこともない海外の山の本を読むにつれ、僕は刺激され心が躍った。しかし、現実はどうしようもなかった。できる事と言えば、ハンドグリップを握ることと腹筋運動ぐらいだったからだ。百日間の入院生活は、僕にいかに登山を愛しているかを理解させるものであったし、それだけに退院したら、必ずや大きなクライミングを決行しようと心に決めていた。

一九九二年十月二十三日、まだ不自由な足で大きなホールバックを背負い、成田空港に向かった。二日後、先に行っていた妙子とカトマンズで合流。三十一日にはルクラからキャラバンを開始、四日後には一六〇〇メートルも高度差のある巨大なメラ・ピーク西壁を目の前にしていた。狙っているダイレクトルートは、日本で予想していたとおり美しく屹立している。多分、五〇ピッチ。そして、十日間の登攀を必要とするだろう。

十一月五日、こんなに重いバッグを背負うと、また足が折れるのではないかと思うくらい莫大なクライミング・ギアを基部へ荷揚げした。今回の登山は、この足ではあまりにも無茶かもしれない。しかし、肉体に負荷をかけ、筋肉を疲労させることによって、今まで溜っていた不満が解消されるだろう。翌日から二日間は、妙子とノーマル・ルートを往復して高所順応を行なった。

順応が終わると、いつものように恐怖がやってきた。だが、この胸の苦しくなるプレッシャーともうまく付き合う方法を僕は知っている。不安にも恐怖にも徐々に慣れることを知っている。寒さだって、空腹だって、困難だって、僕は楽しめるようにできている。僕はいつもこのように自分自身に言い聞かせている。僕だって平凡な人間だから、簡単には気持ちをコントロールできない。しかし、登るために必要なことは、すべて受け入れようと思っているのだ。

最初のアタックは十一日に行なったが、数ピッチ登ったところでアイスバイルが折れ、下降を余儀なくされた。しかし、この一回目の挑戦によって、壁のスケールが読み取れ、少々プレッシャーがなくなった。

十五日はとても寒い朝だった。五時に起き、妙子に作ってもらったホットケーキを頬張り、二回目のアタックに向かった。乾いた、そして冷たい空気を激しく体内に出し入れしながらモレーンをひたすら登る。雪の詰まったルンゼに入る手前で運動靴を捨て、プラスチック・ブーツに履き替える。ルンゼは傾斜もなく、ときどき

メラ・ピーク西峰に突き上げる
標高差1600メートルの西壁

落ちてくる石以外は問題ない。

　このルンゼが終わると、本格的なクライミングに入る。冬の一ノ倉沢のようなピトンも打てない悪い垂壁が続く。時には岩の上をおおった薄氷、ベルグラの上をクライミングしなければならず、Ｖ級の難しさが継続した。そこを突破しても、まだ気が抜けない。氷がなければチムニー・クライミングができそうなクーロワールに氷柱が垂れ下がっているのだ。前回はこのピッチでアイスバイルを折ってしまった。九〇メートルの氷柱を抜けると、残しておいた大きなブルーのバッグが四日前とまったく同じ状態で、打ち込んだアイススクリューにぶら下がっていた。次は八十度の氷壁だが、ここからは、肩にかけるのも大変な重いザックを背負ってのユマーリングが加わった。僕が使用している九ミリのロープはギシギシ伸びきり恐ろしい。ザックの重さは四〇キロ。中に詰まっている、今はただの余計な金属が上部に行くに従って重要になってくる。その日のビバークはテラスも作れたので快適だった。

　翌日もＶ級プラスＡ１の垂壁が出てきた以外は、同じような岩と雪のミックスと氷壁だった。前日と違うのは、午後になって雪が降り出し、体を真っ白にしたことだった。

十七日、ついに僕の得意とする岩壁帯に入った。大きくハングした壁が、青い空に消えて、いったいどのクラックが上部まで繋がっているのかよくわからない。勘に頼るしかない。三本のクラックのうち、真ん中を選んだ。クラックはとても細かったが、ほかの二本に比べて岩が安定している。最初の七~八メートルは小さなナッツサイズ。だが、このクラックは途中で消えているように見える。一度、下降を考えたが、行けるところまで行こうと思い、幅二、三ミリ程度のピトン、ナイフブレードで一〇メートル登る。上部に消えているように見えたクラックは、僕の嫌いなラープサイズであった。ラープにいたっては、幅一ミリにも満たないクラックに打ち込むピトンだ。一〇メートル以上あるクラックは、舌のように垂れ下がった氷に消えている。ラープは三枚しか持っていない。こういう時の登り方は決まっている。打ち込んだラープにアブミで乗って、下に打ってあるラープを抜いていくのだ。ハンマーを二、三回振れば十分だ。この一〇メートルに四時間はかけただろう。最後の一メートル、アブミの最上段に立ち上がり、思い切り背伸びして垂れ下がっている氷の先端にアイスバイルを打ち込んでぶら下がった。このピッチのグレードはA4か。

その夜のビバークは惨めで悲惨なものになった。一人用のテントの三分の一は空中に飛び出し、上からは岩壁づたいにチリ雪崩が頻繁に落ちてきて、テントを外に放り出そうとする。さらにテントの中は、雪だらけで何もかもが濡れ、とても不快である。また食事の支度やそのほかの細かい作業も大変だ。なぜなら連日の厳しいクライミングのため、指が傷つきソーセージのように膨れ上がり、指先はささくれ立ってほとんどの指から出血しているからだ。

「世界的なソロ・クライマーのニコラ・ジャジェールやレナート・カザロットなどは、こんな状況のとき、何を考えていたのだろうか」

そんな事を思う僕だが、ひとつだけほっとする時もある。一人でベースキャンプ・キーパーをしている妙子との無線交信だ。日々、困難になるに従って強くなる孤独感を紛らわせてくれ、唯一、人間の温かみを大自然の中で感じさせてくれるのが無線交信だった。バッテリーは無駄に使えないのだが、毎日の交信は徐々に長くなり始めた。

夜明けとともに、フリーならば5・11はある素晴らしいクラックを登る。もちろん今は人工登攀だ。ずたずたになったこの指を、クラックに入れるのは可哀相すぎ

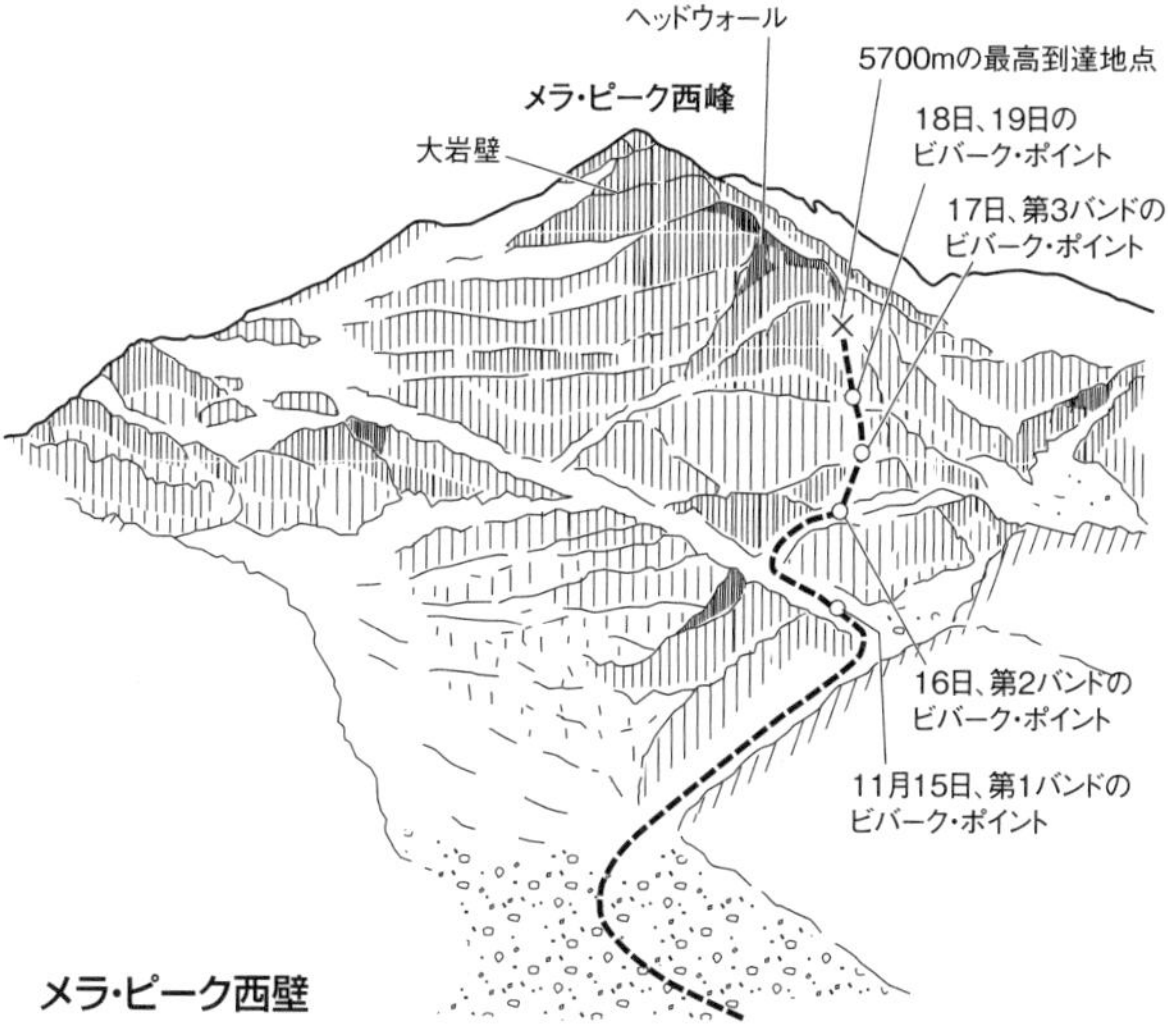
ヘッドウォール
5700mの最高到達地点
メラ・ピーク西峰
18日、19日の
ビバーク・ポイント
大岩壁
17日、第3バンドの
ビバーク・ポイント
16日、第2バンドの
ビバーク・ポイント
11月15日、第1バンドの
ビバーク・ポイント

メラ・ピーク西壁

る。これを登り切ると、プロテクションの取れない、ミスをすれば大墜落を免れない滑り台のようなスラブに変わった。久しぶりにアイゼンを外した足は、最初は軽く感じたが、上部に行くに従ってプラスチック・ブーツでは困難になった。細かいホールドを頼りに右に左にトラバースを繰り返し、エル・キャピタンを思わせるヘッドウォールを目指した。

南からの強風に煽られながら、硬い氷のあるディエードルに入り込んだ。この氷を越せば安定した雪のテラスがあることは、ベースキャンプから望遠鏡で見て予想していた。今夜は横になって寝られると思うと、アイスバイルを振るスピードも上がり、最後の急な氷壁も短時間で突破した。

大きな山ではよくあることだが、下から双眼鏡で見ていたのと実際の壁の状態や形状が異なることがある。夕方、僕を愕然とさせたのは、今日こそ軟らかい雪を削り大きなテラスの上にテントを張れると思っていたのに、目の前に広がるのはヘッドウォールの基部まで硬い氷壁が続いていることだった。どこに軟らかい雪が……。今夜のビバークを考えると、多少、ダメージを受けたが、それよりも重大な現実が僕を打ちのめした。稜線まで残り三〇〇メートルあまりの岩壁だが、そのヘッドウォールに登攀を続行するのに重要なクラックが見当たらないのだ。確かに上部一五〇メートルは、ここからでもクラックが見えるが、下部にはクラックらしきものが見えない。のっぺりした手がかりのない花崗岩が広がっているだけのようだ。暗くなりかけるなか、もう一度、目を凝らして見る。心臓の鼓動が強く打ち始め、緊張が高まる。わずかだがクラックのように見えるものもあるが、この場所からはわからない。

「四日もかけ八〇〇メートルも岩壁を登ってきた」

「すでに標高も五六〇〇メートル近い」

「あとわずかなのに、ここで敗退なのか」

「初めてのヒマラヤ・ソロ・クライムなのに……」

頭の中をいろいろなことが駆け巡った。

その夜のビバークは、昨夜よりもさらに厳しく、わずかに四〇センチほど氷を削ったテラスで、とても狭く不安定でまともに横になることもできなかった。風も強かった。

「妙子、妙子。雪のテラスがないんだよ」

「左の方もなかったの？」

「ダメだ。硬い氷だ。今夜は、昨夜よりも狭いテラスに座るだけだ」

「夜、眠れなかったら交信でもしようか？」

「いや、寝る努力をするよ。それよりも、もしかしたらクラックがないかもしれない。明日になったらわかるだろう」

翌朝六時、交信。

「おはよう」

「今日は疲れていてぼうっとしている」

「今日は休んだ方がいいんじゃない？」

「体を回復させるために、一日停滞するよ。テラスも大きくしてね。明日、アタックするよ。もしクラックがなかったら、それで終わりだ。笑って下降するだけだ」

三時間かけて削ったテラスは、体が横になれる大きさになった。太陽が当たり始めると、凍っていた寝袋が乾き、僕はこの壁に取り付いて五日目、初めて熟睡した。

二十日、最後の難関、ヘッドウォールに向かった。最初の傾斜の緩いフレークを一ピッチ登ればクラックかどうかがはっきりわかるはずだ。人工登攀しながら何度も見上げるが、はっきりしない。十一時、ロープが五〇メートルいっぱいになったところでピトンを打ち、体を預けて上部を見た。

今、初めてすべてを理解できた。クラックはない。黒いシミがクラックのように見えたのだ。自分の登攀、メラ・ピーク西壁への試みが終わったことはすぐに感じられなかった。現実を認めるのはあまりにも辛い。長い間、登っていればこんな敗退もあるだろうが、今回だけは成功を強く望んでいた。この五日間、巨大な西壁の登攀に意識を集中し、入院中の苦しみや悲しみをすべてこの壁にぶつけたのに……。ただ、その黒いシミを呆然と眺めるしかなかった。

「妙子、クラックがなかった。クラックが……」

「下りるの?」

「ああ、敗退だ」

「疲れているんだから、ゆっくりね」

「ああ、悔しい」

「仕方がないじゃない」

「ああ」

登攀が終わったという実感がないまま、ピトンを打ちながら下降を続けた。意識せずとも行なえるクライマーとしての当たり前の行動をするのみ。支点の強度を確かめてはそれにロープを通し、そして下降器をセットし、登り続けた壁をわずかな時間で滑るように下りていく。強い悔しさは感じないが、何か気が抜けたような……。十五回目の懸垂下降を終えるころには日が沈んで吹雪になった。

「あと一時間で安全地帯に入れる。雪も降ってきて、ルートもわからなくなるが、多分、大丈夫だ」

「じゃあ私、途中まで迎えに行くから」

「ダメだよ。途中に冷たい川があるんだ。指を失ったばかりじゃないか」

「大丈夫。迎えに行くよ」

ほとんどのクライミング・ギアを使い切り、吹雪のなか、モレーンに下り立った。大きな石ころに何度も転げ、ほとんど意識のない下降を続けると、闇からヘッドランプの光が上がってくるのが見えた。この時になって初めて、メラ・ピークの登攀が終わったことがはっきりわかったのだ。そして僕の体に平和が戻ってきたのを感じた。

3

こうして最初のヒマラヤ・ソロ・クライミングは失敗した。ベースキャンプでは太陽の光を、何も考えることなく体いっぱいに浴びながら、安全で平らな土地にいる喜びをかみしめ、寝転んでいるばかりの日々を過ごした。しかし、胸の奥には少しだけ引っかかるものがあり、すっきりはしていなかった。川の流れを見、苔のにおいを感じ、クライミング・マシーンから普通の人間に戻っていく感覚を味わいながらも、ときどき次のアマ・ダブラム西壁を思っていたのだ。

しかし、数日が経ち、移動のキャラバンが開始されると同時に、体にけだるさが現われ始め、三〇キロを担いだポーターにまで心配される始末だ。峠では五歩以上、続けて歩けない。メラ・ピークの疲れが出たにしてはおかしい。熱もある。妙子に個人ザックを背負ってもらい、ポーターから元気が出るようにナッツなどを恵んでもらう。ルクラに戻って来たころは、ほとんど意識を失いかけていた。それから数日、高熱と下痢と嘔吐で、何も食事を受けつけなかった。体からすべての力が失われていくようだった。

しかし、ルクラにあるロッジのベッドで丸くなりながらも、なぜかアマ・ダブラム西壁のソロだけは諦められない気がした。同じような症状が続いても良くならない僕を見て、ルクラに集まっていた笹原芳樹さん、青田浩さんはアマ・ダブラムでのクライミングは無理と思っていたことだろう。

しかし、十一月二十九日、アンナプルナにトレッキングに行く妙子と別れ、アマ・ダブラムのベースキャンプを目指し出発した。決めていた計画を途中で放棄したくないというよりも、アマ・ダブラム西壁をソロで登らなければ、僕のヒマラヤ・ソロ・クライミングは何も始まらないし、先は見えないと思っていた。三十日にはナムチェ・バザールで待っていた大野敏男さんとも合流した。髪の毛も洗えず、体の垢も落とせないままでのキャラバンであった。体の状態はやや回復したものの、コーラとチョコレート以外は受けつけず、おいしく食べられるはずのネパールの一般的な食事、ダルバートはまったくダメだった。そしてすべてのトレッカーに追い抜かれながらのキャラバンとなった。

僕達の計画は、笹原・大野はノーマル・ルートである南西稜、青田は南壁を単独。

そして、僕も単独で西壁を狙うというものである。もちろん登攀はアルパイン・スタイルと決まっている。すでにアマ・ダブラムを見てきた笹原さんが言うには、西壁は岩だらけで登れそうもないという。自分の今の体調を考えると、南西稜隊に加わることも考えなければならない。僕が「そんなに岩だらけなの」と聞くと、笹原さんと大野さんは「雪なんてほとんどついてないよ。真っ黒というよりも真っ茶色だな」と答えた。早く間近で目指す西壁を見たいと思う気持ちと、どこかでまだ見たくないという気持ちがあり、実際に見る壁におじけづいてしまうのではないかと不安だった。

体調の悪さから一日余分にロッジで停滞した後、十二月二日、ベースキャンプに入った。標高はそれほど高くはないものの、ヒマラヤのマッターホルンと言われるくらいアマ・ダブラムは美しく、岩と雪がちょうどよくミックスされている。

しかし、狙っている西壁は言われたとおり岩が露出しており、今まで写真で見ていた西壁とは違っていた。西壁は過去三回、完登されているが、ルートはそれぞれ異なっている。ダブルアックスだけで登れる一九八五年の山学同志会隊のラインを考えていたが、今は三カ所に岩場が出ている。トラバースが多い中央リッジは赤茶

アマ・ダブラム西壁。右のクーロワールから
南西稜6300メートルへ抜ける新ルートを登った

色の岩壁が出ていて問題あり。右のクーロワールはベルグラから赤く脆い垂壁になっている。双眼鏡であらゆる岩と氷を見て、それぞれがどのような性質のもので、また登攀できるかできないかを判断する。登れるとしたら何時間で突破できるかを頭のなかで計算し、持っていくクライミング・ギアを考えた。一日中、観察した結果、唯一、抜けられるラインを発見した。右のクーロワールからロックバンドを越え、ベルグラ部分を通り、ヒマラヤ襞を登って南西稜の六三〇〇メートル地点に抜ける。最後の岩壁ももちろん新ルートになる。

しかし、このようなルートの問題は、登り出したら敗退が難しいことだ。ビバーク・ポイントもビレー・ポイントもほとんどなく、登り出したら最後、休むことなく手足を動かし続け、絶対に完登しなければ帰ってこられる可能性は少ない。またほとんどロープを使えるとは思えないルートなので、フリー・ソロで決行しなければならない。さらに南西稜まで抜けるのに二十時間近くかかると思われるが、一秒たりとも気が抜けないだろう。今の僕の体と西壁のコンディションを考えると、今回は本当に死ぬ可能性がありそうだ。若い時から何度も何度も生死の境を登ってきたが、今回はかなり大きなハードルになりそうな気がする。

その一方で「今なら止めることはできるぞ。周りの人のことは気にするな」「南西稜から楽しく登っても良い思い出になるじゃないか」「今無理しても仕方がない。来年、また大きな壁に挑戦すればいいじゃないか」と、心の声がする。

南壁を偵察に行っていた青田さんは、壁の状態が悪いので南西稜にするという。僕も南西稜にしたほうが無難だろうか……。あの赤いロックバンドからベルグラの部分が確かに不安だ。とても急峻だ。もし、ちょっとでもミスをすれば、ぺちゃんこになるのだ。いつも「大胆になれ」と言い聞かせているのに、実際にはそれに及ばない。だが、六カ月後にあらためて挑戦することにしたガッシャブルムⅣ峰のことを考えると、アマ・ダブラム西壁は単独で登らなければならない。

僕はテントの前にあるクライミング・ギアが詰まった袋から、やすりを取り出し、西壁の氷壁を思いながら、いつのまにかアイスバイルの先端を研ぎ始めていた。

「大野さん、チタンピトン少し貸してくれない」

「山野井君、本気で西壁に行くつもり?」

「そのつもりだよ」

「体、良くなったの」

「少しはね」

周りのみんなは驚いていたが、その反面、仕方ないとも思っていただろう。

「登ろう。どうしても登りたいんだ」

その言葉を心の中で何度も繰り返していた。この登攀が成功すれば、僕もトモ・チェセンに一歩近づけるかもしれない。

十二月五日、ゆっくり朝食をとって、八時三十分、南西稜に行く三人と別れ、一人、西壁に向けて出発した。背中のザックはわずか一二キロというのに呼吸が乱れる。やはり調子が悪いようだ。登攀に先立ち、装備と食料はじっくり考え、切りつめられるものは極力切りつめたが、一〇キロをオーバーしてしまった。八ミリロープ一本、アイスバイル二本、アイゼン、チタンのアイススクリュー四本、チタンピトン四本、カラビナ五枚、ビバークテント、寝袋、ガスボンベ一本、カメラ一台、食料は四日分で大部分をスープとコーヒーにした。

途中、予想以上に困難な氷河に苦しめられたが、夕方、取付より一時間ほど手前でビバークテントを張ることができた。山行前は常に孤独を求め、実際の山の中では孤独から逃れようとする僕だが、今夜だけは月明かりを見ていると山の中に一人

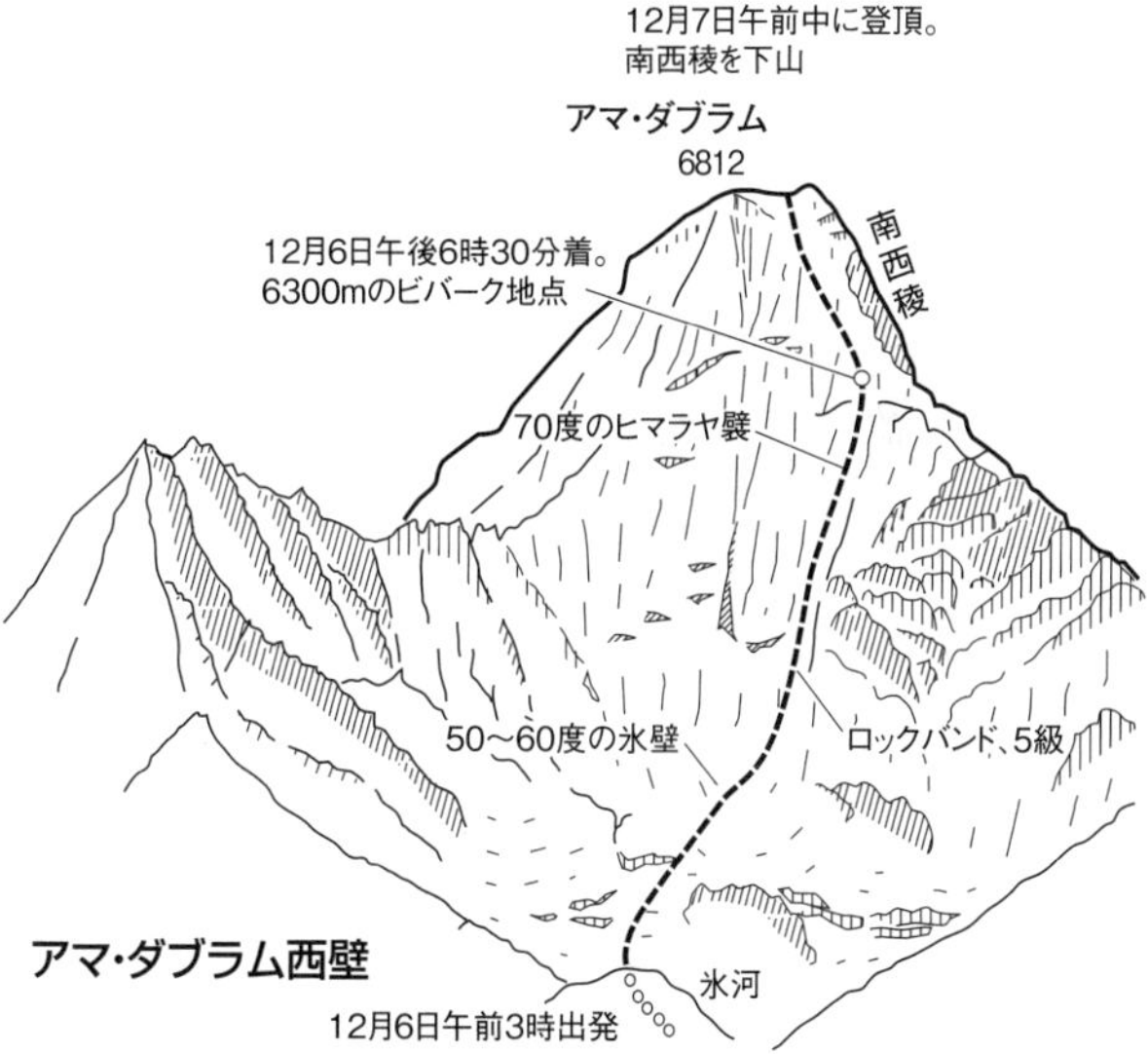
12月7日午前中に登頂。
南西稜を下山
アマ・ダブラム
6812
南西稜
12月6日午後6時30分着。
6300mのビバーク地点
70度のヒマラヤ襞
50～60度の氷壁
ロックバンド、5級
アマ・ダブラム西壁
氷河
12月6日午前3時出発

でいることを幸せに感じる。まだ頂にも立っていないのに、お茶を作りながらガスコンロの炎を見つめているとき、ここに来てよかったと本当に思ってしまった。ダウンジャケットを通して寒気も伝わるが、それも心地よく感じ、誰とも会話のないこの時間が素晴らしかった。僕はひと言「明日は三時に出発しよう」、それだけを小さく声に出した。

十二月六日、完璧に晴れた。雪壁が急になったところでストックを突き刺し、かわりにアイスバイルを握った。登攀開始。すぐにベルクシュルントが出てきたが慎重に越し、雪と氷が交差する部分にルートをとった。それもすぐに石のように硬いブルーアイスになり、傾斜も急になった。素晴らしい静寂のなか、ときどきわずかに氷の落ちる音、チリ雪崩が発生している音が聞こえるが、今の僕には子守歌のように聞こえ、興奮はなく平常心のままだった。

僕の後ろには細いロープが暗闇のなかに消えている。自分の呼吸の音が聞こえる。黙々とクライミングしていると、いつの間にかカンテガの方角に太陽が輝き、同時に岩壁帯が頭上に迫ってきた。困難と予想していたロックバンドをグレードⅣ級からV級と判断した僕はビレーもせず、一時間で突破した。細かいホールドも気持ちよく握れ、外傾したスタンスにもアイゼンは滑らない。体に力が戻ってきていたのだ。

続いて、ルート中もっとも厳しいピッチが待っていた。スラブからガラスのように割れるベルグラのクライミング。傾斜六十五度、わずかにひっかかるアイスバイルとアイゼンに体を移動させていく。うっかりバランスを崩したら、地獄行きだ。露出感のある氷壁と体を繋ぎとめているのは集中力のみ。一瞬の油断もできない。リラックスし、一メートル、一メートル、高度を上げるしかない。いま僕は、ヒマラヤの氷壁をソロ・クライムしているのだ。脛の筋肉が悲鳴を上げないよう祈りながら、また正しく呼吸し、バランスを保ちながら、体を上に上にと運ぶ。徐々に下の氷河まで何百メートルも切れ落ちている現実から意識が離れ、目の前、三メートルの氷にすべてが集中し始めた。

何度か緊張する場面にも出くわしたが、この恐ろしい一五〇メートルを抜けると、疲れた足の筋肉を休めることのできる雪壁となった。西壁に太陽が当たり始め、雪と氷をゆるめ、スピードを鈍らせる。特に困難な箇所は脱出したものの、六〇〇〇メートルという高度での登攀も体にきいてきた。途中一ピッチ、脆く垂直の岩場で初めてロープを使用。これを登り切ったときにはすっかり疲れ切っていた。

昼過ぎ、ヒマラヤ襞を目指して右にトラバース。急峻なクーロワールに入り直登する。少々スピードを上げてみることを考えたが、それは不可能だと思い知らされた。足を一歩上げるだけで大変な苦労なのだ。南西稜まで二〇〇メートルという所で、予定よりダイレクトなラインをとって、最後の岩壁に挑む。疲労困憊していたが、残りわずかな精神力を振り絞ってミックス帯を登る。いくつかの割れやすい岩場を越すと、急に軟らかい雪面になり、傾斜が落ちた。見上げれば、ここから南西稜までの距離はわずか五〇メートルほどしかなく、もはや困難な箇所も見当たらなかった。しかし、今、焦ってはいけない。一歩一歩、集中しなければならないが、心の中ではすでに喜びがあふれ始めていた。

午後六時三十分、すでに暗く、寒くなったころ、強風が吹くノーマル・ルートの南西稜に抜け出した。とうとう登り切ったのだ。風が顔を、そして体をたたく。目を細め、今まで登ってきたルートを見下ろす。恐ろしく切り立っているため、すべてを見ることはできない。その時、自分ではどれだけのことを達成したのか理解はできなかったものの、寒さからか、それとも喜びからかはわからないが体は激しく震え、それが止まらなかった。見上げれば、頂までは少し距離があるものの、すでに技術的に問題ないことがわかる。明日は確実に頂に立てるだろう。

「諦めないで西壁に挑戦してよかった。本当にここに来てよかった」

体力を失った僕は膝をついた。そしてそのまま横になってしまったのだ。友人がいたならば涙を流して抱き合うだろうが、今の僕は強風のなか、横になれる幸せを感じながら自分自身に「よくやったな」と言ってやるだけだった。

翌朝、平凡でやさしい雪稜をたどって頂上に立った。

結婚

二十歳代の前半、僕は女性とつき合うのを恐れていた。特別、異性が嫌いなわけではないが、彼女ができたら厳しいクライミングに打ち込めなくなるのではないかと恐れていたのだ。楽な方に流されるのをとても嫌っていた。ましてて「クライミングを取るか、私を取るか」などと言う女性が現われたら、あの時、必ずクライミングを取っていたような気がする。実際は、そのような機会もなかったのだが……。

妙子は、僕にとっては最高のパートナーかもしれない。たとえ厳しいクライミングを追求しても決して反対はしないし、時には一緒にも登れる。家の中では、僕は山のことばかり考えているが、妙子は家事に大変興味をもっており、我が家はうまい具合にバランスがとれている。これがもし二人ともクライミングのことばかり考えている夫婦であったら、家庭の中が緊張して窮屈な雰囲気になってしまうだろう。今でも残っているよい思い出は、足の骨折で入院中の病院を抜け出し、山梨県の岩殿山に登ったときのことだ。僕はギプスをつけたまま、妙子は凍傷で切った指の痛みに耐えながらの登山であったが、春の山はとても暖かで幸せであった。

しかし、絶対的に普通の家庭と違うこともある。それは二人とも生死をとても身近に感じていることだ。実際に二人ともたくさんの友人を山で亡くしている。我が家では、片方が死んだときの約束がある。それは墓を立てる代わりに木を植えることだ。僕が死んだらカブトムシやクワガタがたくさん集まるようにクヌギの木を、妙子が死んだら柿の木を……。あまり自分から果物を食べない僕だが、柿だけは好きだからだ。多分、妙子は一人でも生きていけるが、僕は一人で生きていけないような気がする。きっと歳をとり老人と呼ばれるようになっても、僕たちは生きているかぎり一生登っているのだろう。やさしいハイキングでもよいから、二人で登り続けていたいものだ。

最近思うことだが、二人ともクライマーであると悪い点もあると感じている。僕は多くのルートをソロ・クライミングしてきたが、一人のときは今までケガをしたことがない。国内も含めケガをするのは、妙子と一緒のときがとても多いのだ。ソロで登っているときと山に対する集中力がわずかに違うような気がする。彼女も優秀なクライマーでほかの男性クライマーよりも信頼しているが、僕はどこかで気にかけすぎ、守ってやろうという気持ちが大きくなりすぎているように思える。確かにいつもの集中力とどこかが違う。だから妙子と行くとケガをするのかもしれない。悲しい現実だが、本当に困難なクライミングを追及するときは一人で登った方が安全で、生きて帰れる可能性は大きくなると思う。

それでも二人で挑戦できるクライミングもあるだろう。

将来は、二人がまだ行ったことのないアフリカや南極を訪れてみたいと思っている。アフリカなら山に登らなくてもよいくらいだ。二人とも生きものがとても好きだから、野生動物を見にいくだけでもよいのだ。

妙子は、南極でコウテイペンギンを見たいと言っている。実物はどれほど大きく、かわいいのだろうか。いつの日か、二人で訪れてみたいものだ。

やっぱり結婚してよかったと、ときどき、僕は思ったりしている……。

第三章　ソロの新境地

チョ・オユー南西壁

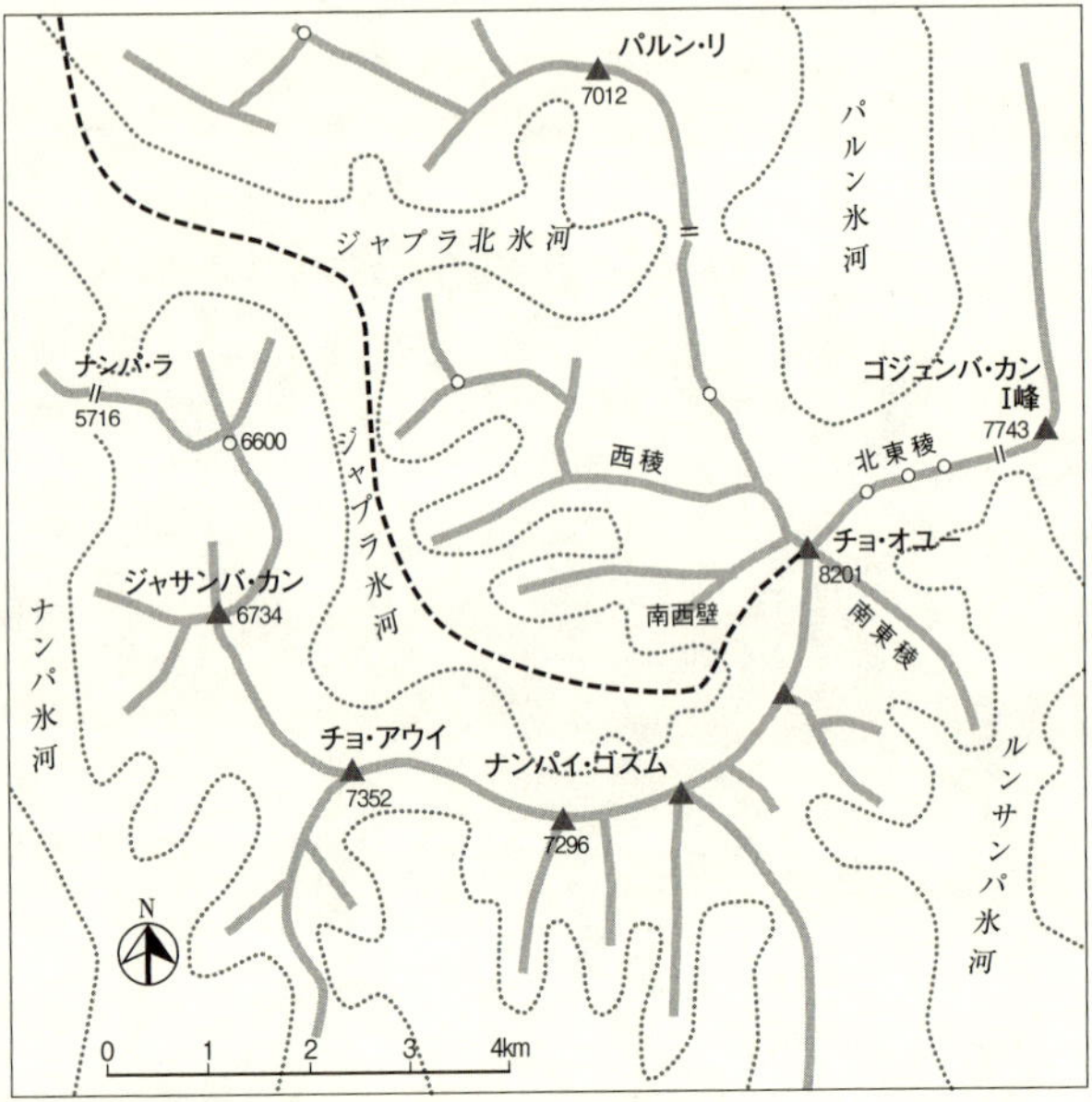
パルン・リ
7012
パルン氷河
ジャプラ北氷河
ゴジュンバ・カン
I峰
7743
北東稜
ナンパ・ラ
5716
6600
ジャプラ氷河
西稜
チョ・オユー
8201
ジャサンバ・カン
6734
南西壁
南東稜
ナンパ氷河
チョ・アウイ
7352
ナンパイ・ゴズム
7296
ルンサンパ氷河
N
0
1
2
3
4km

1

クライマーは常に上のレベルを目指して登り続ける。より標高の高い山、そしてよりテクニカルなルート、これらはトップクライマーでなくても一般のクライマーにも言える習性であり、レベルを上げようとする努力が歴史を作り、文化を守ってきたとも言える。

アルピニズムの初期のころ、ヨーロッパ・アルプスではあの美しく有名なマッターホルンをエドワード・ウィンパー達が劇的な初登頂をすると、数十年後にはそのルートではない、日が当たらず垂直に近い北壁に挑戦するようになった。その北壁が登られると、今度はそれに単独で挑む者まで現われ、現代では単独で新しいルートを開拓する人間が登場した。そのレベルアップは、ヨーロッパ・アルプスよりさらにスケールの大きなヒマラヤでも同様だ。モーリス・エルゾーグらが人類初めての八〇〇〇メートル峰であるアンナプルナを初登頂して二十年後、クリス・ボニントン率いる強力なイギリスのクライマー達がアンナプルナ南壁を登り、「ヒマラヤ壁の時代」に突入し、翌年にはマカルー西稜などの今でも困難なルートが登られた。

さらに時代は進み、現代では究極熾烈な登攀になるが、八〇〇〇メートル峰の切り立ったルートが単独で、なおかつアルプスを登るようにシンプルなアルパイン・スタイルで登られるようになった。この課題に最初に成功したのは、登山界の英雄、ラインホルト・メスナー（イタリア）だ。一九七八年、エベレストに無酸素登頂し、世間をあっと言わせた六カ月後、ナンガ・パルバットのディアミール壁にベースキャンプからたった一人で出発し、アルパイン・スタイルで新しいルートから単独登頂した。アルパイン・スタイルではないが、一九八九年、ピエール・ベジャン（フランス、故人）のマカルー南壁の単独も素晴らしい記録だし、日本ではあまり知られていないポーランドのクシストフ・ヴィエレリツキがシシャパンマ南壁を単独で登っている。

こうした究極の登攀者は、現在でも世界で五人といないだろう。彼らは、肉体がヒマラヤの大自然にどこまで耐えられるかという純粋な気持ちを持ちながら頂を目指し、成功しても失敗してもすべて自分の責任のもとで行なっている。

一九九四年秋、僕もこの課題に挑むことになる。ヒマラヤの八〇〇〇メートル峰といえども、一般的なルートには多くのクライマーがいて、未知の要素がないと感じられるし、クライマーのなかには批判的に思う人もいるが、僕は、単独登攀は自分の能力を引き出し、見極めるのに最高の手段と考えている。僕はすでに百本以上の単独登攀をしてきたが、そのほとんどがパーティで登るよりも安全だったし、とても楽しく、また強い思い出を残してくれている。登山方法もアルパイン・スタイル、酸素ボンベを使用せず、フィックス・ロープも高所キャンプも設置しない。ザックひとつを背負い、一気に氷河から頂までたった一人で登るわけだ。病気になったりケガをした場合、下降はとても困難になるが、それだけヒマラヤを感じられることだろう。

僕は山を登り始めてから今まで常に、「もっと難しい壁に、もっと厳しい環境で、もっとシンプルなスタイルで」と、自分の限界を押し上げてきたつもりだ。もちろんそれは、誰かに強制されたのでもなく、僕自身が、どうしようもなく限界に挑みたくて仕方なかったからだ。確かに小さなハイキングをしているときも喜びは感じるが、やはり限界ぎりぎりの登攀をしているとき、「生きている」自分を感じられるのだ。

一九九三年秋から、自分が持っている膨大な資料でどの山にするか何カ月も調べ、八〇〇〇メートル峰をあらゆる角度から研究し、理にかなった美しいルートを探した。そして最終的にはチョ・オユー南西壁に決めた。標高八二〇一メートル。ネパール・チベット国境に近い南西壁は、標高差二二〇〇メートルもあり、ほとんど人の目に触れることはない。世界最高のクライマー、ヴォイチェフ（ヴォイテク）・クルティカ、エアハルト・ロレタン、ジャン・トロワイエのトリオが拓いた一九九〇年のルート一本しかなく、未知の要素がたっぷりで、多くの斜面が可能性を秘めており、新たにロジカルなラインがひけそうだ。

この計画には日本の有能な女性クライマー、遠藤由加、妻の妙子も加わることになり、彼女らはクルティカからのラインの第二登を目指し、僕が単独で左手の新ルートを登る。

いつものことながら、計画が決まると喜びと同時に多くの不安が胸の奥からわき上がってきた。何を準備し、どのようなトレーニングを積み、本当に登り切り、生きて帰れるのか疑問でいっぱいだ。しかし、夢がなければ生きていられないし、都会で生活していると落ち着かず、すぐにでも雪と岩と氷の世界へ戻りたくなってしまう。一般の人から見ると、狂っているかもしれないが、これが僕の人生なのだ。

まず技術的なことは、出発前にフランスのシャモニ周辺でミックス・クライミングを登り、今までのテクニックを確認し、さらに向上したいと考えた。また、国内では心肺機能を高めるため、山道や標高差のある林道を心臓に負荷を与えながらランニングする。また毛細血管を発達させ、体の持久力を高めるためにLSD（ロング・スロー・ディスタンス、長距離をゆっくり走るトレーニング）も取り入れた。そしてフリー・クライミングでは、高峰登山では邪魔になる上半身の大きな筋肉を増やさないため、オーバーハングしたルートをやめて、バランスで登れるルートばかり登るようにした。食事に関しても、ニンニクを多く食べ、ビタミンEなどを飲み、血行のよい体にすれば凍傷になりにくいだろうと考えた。

チョ・オユー南西壁のソロ・クライミングを成功させるには、一流のスポーツマンの体が必要になってくる。出発直前には、日本でのハードなトレーニングの結果、僕の脈拍は一分間に四十五以下になっていた。また体重も五七キロ以上にならないように努め、なるべく脂肪も減らした。昔のヒマラヤ・クライマーは寒さに備えるため脂肪をつけたが、今日のトップクライマーはスピードが命になるため、体は軽いほうがよいわけだ。

装備については、現在、手に入れられる最高のもの、軽量で丈夫な道具を用意した。テントは重さ一キロ。チタン製のアイスピトンにロックピトンなどすべて軽く、ピッケルとアイスバイルのブレードやピックは硬いものを選んだ。資金は、女性ペアと僕が二ルートに挑むが、登山料を一チームとして申請し、三人で分けることができた。

また、僕の主な収入源は富士山の強力と山行記録の原稿料などだけであったが、マジックマウンテン社の国井治氏の好意によりアドバイザー契約を結ぶことができ、我が家の家計は多少楽になり、自由に好きなときに好きな山へ行ける環境ができた。僕は、年間六十日から七十日くらいしか働かず、一般のサラリーマンにとっては羨ましい生活を送れるようになったわけだ。ますます山だけについて考える日が多くなり、人生イコール登山になっていった。

すべての準備を終え、アマ・ダブラム遠征以来二度目になるネパールのカトマンズに入国。ついに大きなアドベンチャーが始まった。自分の肉体のコンディションと山の天候がすべてを左右することになるだろう。

まずは高所順応として、ベースキャンプに入る前にネパールのランタン谷で五五〇〇メートルと五八〇〇メートルのふたつの山に登った。これは僕にとってちょうどよい気分の旅で、体のコンディションを高めると同時に、気持ちをヒマラヤの環境にならす意味でも大切であった。カトマンズに戻ってからも軽いジョギングやウエイト・トレーニング、心肺機能を高めるためのトレーニングを毎日、行なった。そのコンディションのまま、ベースキャンプ入りしたかったからである。

2

一九九四年八月下旬、ネパール、カトマンズで準備を終えた僕たちは、予定どおり車で国境を越えチベットに入った。

九月一日、キャラバン開始。ヤク三頭は砂埃をあげ、僕より早いスピードで歩く。本当に小さな遠征隊だ。リエゾンオフィサーも、ジープを降りた五〇〇〇メートル地点で今回の遠征が終わるまで待っているという。

今は、これから単独で南西壁に向かう恐怖はない。まだ壁を見ていないので、体力、そしてテクニックに対しても自信がなくなることもない。

最近、僕に対して「あいつは危ない」という言葉を聞かなくなった。過去に行なったバフィン島のトール西壁やパタゴニアの冬季フィッツロイは、ある程度のクライマーならどんな登攀であるかおよそ理解できただろう。しかし、ガッシャブルムⅣ峰東壁や今回のような壁をアルパイン・スタイル、ソロとなると、理解できる日本人があまりにも少ないからだと思う。

僕はキャラバンの途中で風邪をひいてしまい、体温は三十八度。汗は出るし、足に力が入らない。もうふらふらだ。五五〇〇メートルのベースキャンプに入ってからも、設営は彼女達に任せるしかなく、彼女達が作ってくれるおいしいはずの食事もほとんど喉を通らない。

目標の南西壁を見に行ったが、あまりの大きさに圧倒されてしまった。写真で見ていたよりも傾斜が強く、多少、雪崩の危険性もある。今は体調も悪く、自分の強さ、そして壁の大きさを把握できない。が、技術的にはマッターホルン北壁やドロワット北壁程度だということはわかった。その後、少しずつ体調はよくなり、ノーマル・ルートで七〇〇〇メートル地点まで二往復して、高所順応と下降路の偵察を行なった。

ベースキャンプではどのくらい順応したかを確かめるためランニングしたり、ボルダーからボルダーへジャンプしてみたりした。呼吸は乱れない。赤血球は増え、高所仕様の体に変化したことがわかった。最初の高所登山、ブロード・ピーク以降、僕の体は薄い空気に適応するスピードが早まっている。多分、これは細胞が過去の記憶を頼りにすぐに反応するようになったからだろう。この五五〇〇メートルにいても、まるで日本の山にいるように体が動き、頭もすっきりしている。

九月二十一日、アタックにちょうどよい日がやってきた。彼女らもアタックするのだが、僕はわざと出発時間を遅らせた。もう誰とも話したくない気分で、すでに恐怖が全身を覆っている。あれだけ憧れていたアタック日だというのに、今は怖くて仕方がない。こんな恐怖を過去に何度、経験してきたことだろう。

恐怖について記憶に残っているのは、小学生のころ、小さな石垣や岩場を「今日こそ登るぞ」と、気合を入れ、へばりつく瞬間、大きなケガをするかもしれないと思い、怖いと感じたものだ。しかし、この場所で感じるような胸が締めつけられ、動きがとれなくなりそうで、そして物悲しい恐怖とは違う。あれは高校生のころ、まだ冬季登攀の経験が浅いころだった。その当時、谷川岳の一ノ倉沢に冬季未踏のルートがあり、僕はそこを狙っていた。自分の実力では可能性が少ないことはわかっていたが、仲のよい友達一人にはその挑戦を話し、もしかしたら生きて帰れないかもしれないと伝え、自宅を出た。机の中には遺書めいたものを書き残し……。土合駅に着くまでの電車の中、長い時間、苦しみは続いた。

「登ったからといってどうなるんだ」

「誰も誉めてくれるわけではないぞ」

「もっと実力がついてからでも遅くはない」

「山は逃げやしないぞ」

否定的なことばかり考えていたが、冬の谷川岳に入り込んだとたん、天候が許すかぎり全力を出し切ることを決意していた。この当時から、怖さに負けて何もしなかった後の虚しさを知っていたのだろう。

そして今、南西壁をとても怖く感じるが、必ずアタックする自分を知っていた。取付で準備をしていると、屏風のような南西壁が僕を圧倒する。本当にこれを単独でやるのか。完全武装で固めたはずの僕だが、標高差二二〇〇メートルの壁に単独で向かうにはあまりにも無防備に感じる。ザックの中身はわずか五キロである。

腕時計は夜の七時を示し、太陽はずいぶん前から山の陰に入り、徐々に辺りは薄暗くなり、気温も低くなり始めている。一時間後に出発する予定だ。まだ時間はたっぷりあるが、プラスチック・ブーツに鋭くとがったアイゼンを装着し、ダウンジャケットの上にさらにゴアテックスのヤッケを着込み、手には厚いグローブをはめた。深呼吸してはお茶の入った水筒を口に運び、集中力が高まり、登りたくて仕方ない気持ちが起こってくるのを待った。もう一度、壁を見上げ、予定しているラインを目で追う。明日の夕方までにはロックバンドを超えて七五〇〇メートル地点まで到達したい。

その時、急にスイッチがオンに変わったのを感じ、足に力を入れて立ち上がった。氷河を大きく左から回り込んで、氷雪壁が始まる地点を目指す。ここで「お互いに頑張ろう」と短い言葉を交わして、それぞれの旅に出た。

「彼女らも、うまく第二登できればいいのだが」と、一瞬、そんな気持ちになったが、アイスバイルを一振り、二振りするうちに、自分が生き残ることだけで頭が

標高差 2200 メートル、
チョ・オユー南西壁の新ルートを拓く

いっぱいになった。まさしく、一人だけの南西壁が始まった。

二二〇〇メートル、一気に行くぞ。

午後八時三十分、期待していた月明かりは対岸の山々に当たっているだけで、残念ながら南西壁には当たらない。調子はいい。ただ小さな落氷、落石が飛んでくることだけが気になる。過呼吸のためか、呼吸筋が少々痛い。ときどき硬い氷が現われ、思い切りアイスバイルを振らなければならない。暗闇のなか、ヘッドランプの光だけがこれから進む方向を示し、高度を感じさせない登攀が続く。徐々に調子はよくなり、スピードも上がり、特別な場所を登っている気がしなくなってきた。そして呼吸と体の動きだけはリズムを乱さないように気をつけた。

休まず八時間登り続け、午前四時にはロックバンドの下に出た。予定よりずいぶん早い。ここで雪壁をピッケルで削り、テラスを作り、テントをツエルトのようにかぶり、お茶を作る。ガスを節約するためにぬるいお茶で我慢したが、体に平和が戻ってくる。が、この氷のテラスでは、もちろん横になることはできない。

昨夜、ベースキャンプでは緊張のあまり一睡もできなかったが、ここでも無理して寝る必要はないだろう。数日眠れなくても動き続けられるくらいは経験を積んでいる。膝を抱え、薄目を開けながらみるみるうちに霜がつくグローブを見、ツエルトを静かに叩く風の音を聞きつづけた。冷たい自分の体が雪と岩と同質のものからできているような錯覚を起こし、体が雪に溶け合っていきそうになる。遠くで夢を見ているように、「凍死も悪くはないかもしれない」と、わずかに思ってしまった。

九月二十二日。二時間ほど休んだだろうか、再び動き出さなくては。外はまだ暗いが、核心部の登攀にとりかかる。マウンテン・テクノロジーのピッケル、アイスバイルが、バンバンと氷に食い込む。雪は予想より少なく岩とのミックスが多い。グレードはⅣ級くらいか。ミックス壁の長い長いトラバースを短時間でこなした。ディエードルに思い切り足を広げ、ピックの先で雪の下に隠れているホールドを掘り出す。ひとつの動きにもミスは許せない。ときどきスノーシャワーが落ちてきて、ヘルメットを被っていない頭にいやな衝撃を与えた。七〇〇〇メートルより高い高度で、こんな困難な登攀をしているのが信じられない。状況は悪く、呼吸をするのも大変なのに、頭で考えなくても体は自動的に最も効率のよい動きをする。目を頻繁に動かし体を壁から離し、足をあまり高く上げず、ゆっくりだが決して止まらず確実に高度を上げる。長い間、この瞬間を求めてきたのかもしれない。

午後三時、傾斜が緩く技術的にも楽になり、陽が当たり出して体と雪を暖め始めた。体力的にも限界に来たようだ。わずか一メートルの高度をかせぐのに、莫大な努力を必要とした。そろそろ横にならなくては……。この疲労を明日に持ち越してはならない。横になるにしても、雪を削ってテラスを作らなければならない。すでに十六時間以上、行動しつづけており、現在地の標高は七五〇〇メートルに達している。一気に一五〇〇メートルの高度差をかせいだことになる。

このころから高度障害のためか、常に誰かと登っているような気がしてくる。軟らかい泥のような雪は膝までもぐり、体力を奪うトラバースをしているとき、後ろに気配を感じた。

「いつから彼はついて来たのだろう」

「そろそろ彼は、ラッセルを代わって先頭を歩いてくれるだろうか」

「なかなか彼は追いつかない。代わってくれる様子もない」

「まるで彼のためにラッセルしているみたいだ」

思わずふと後ろを振り向いてしまった。誰もいない。トラバースしてきた自分の足跡が、一〇〇メートルにわたって太陽に照らされた雪面についているだけだった。

「当たり前だ。僕は単独なのだから」

さらに残りの力を振りしぼり足を前に出す。

「また彼がやってきた」

目の前に、小さな露岩がある。今日の寝床にちょうどよい。岩の下の雪をピッケルで掘るが、息が切れて十回も続けて振れず、何度も休んでは深呼吸しなくてはならない。

「彼はなぜ手伝ってくれないのだ」

傾斜六十度の雪壁に一時間かけてテラスを作り、一人用のかわいらしいテントを設営した。そして露岩にピトンを打ち込み、そこからテントと自分の体をロープで結び確保した。テントに入るころ、「彼」をいつの間にか感じなくなっていたが、近くにいることはわかっていた。人間は潜在能力を最大限に発揮しているとき、こうした人物を感じるという。確かに男のクライマーで会話はできないが、意思の疎通は可能なような気がする。今までのソロ・クライミングのときは孤独を紛らわすためにわざと独り言を言ったりしていたが、今回の登攀はまったく話していない。寂しくないのだ。山が私に同伴者を与えてくれているようだ。

小さなテントの中で食事を作るが、食欲はあまりない。せめて四リットルの水分をとらなくてはならないだろう。僕の血はあまりにも濃くなりすぎている。ガスを節約しながら一時間かけて一リットルの割で水を作り、吐き出さないように鼻をつまんで飲むが、三リットルしか飲めなかった。そして、ときどき深呼吸して、酸素をたくさん摂取する努力をした。

これから先のことを考える。雪壁からミックス壁、そしてまた雪壁。標高差は七〇〇メートル。うまくすれば一日で頂上に立てる。明日すぐ出発できるように、体のどこに何をつけ、不必要な道具をザックに入れる順番を考えておく。もう不要になったナッツとピトンはここに置いていく。マジックマウンテンのアルパイン・スタイルのテントは傾斜のある雪壁にやっと載っているだけだが、今まで垂直の壁で何度もビバークしている僕にとって不安はない。この七五〇〇メートルの高所に設置したテントから見える風景は格別なものだった。空には雲がわずかしかなく、悪天候になる可能性はまったくない。正面には真っ白な雪を被ったピラミダルなチョ・アウイがそびえ立っている以外は、ほとんどの山の頂はすでにはるか下に見える。

もう孤独も僕にとって危険なものではなく、むしろ一人でいる幸せを感じる。僕にはやる気があるし、体力もまだ残っている。早く夜が明けて登り出したい気分だ。明日は最高の瞬間が待っているだろう。

3

九月二十三日。午前六時、まだ暗いがビバーク地を後にする。気温が低いため硬い雪壁を期待していたが、傾斜六十度くらいの軟らかい雪で、本当にこれで頂上に立てるのかと思うくらい膝までもぐり、すぐに体力と時間を奪っていった。いつもなら頭に来るはずだが、七七〇〇メートルという高度なのに当たり前のようにラッセルする。

八〇〇〇メートルを超えた地点で困難な岩壁にぶち当たった。これを越せば、あとはやさしい雪壁が頂上まで続いているはずだが、今回の登攀でもっとも困難な登攀が八〇〇〇メートルで出てきたのだ。ロック・クライミングは昔から得意だったが、こんな高度では厳しいに決まっている。今までの下のほうのⅣ級ですら、呼吸を乱していたのだ。ここまで一度もロープを出さなかったが、この岩場でもロープを出さずに取り付く。茶色い岩はそれほど脆くなく、昨年のガッシャブルムⅣ峰東壁よりは硬いが、二年前のアマ・ダブラム西壁よりは脆い。ヒマラヤの岩はさわってみないとわからない。二重にしてある手袋では登れないので、過去一度も凍傷になっていない右手を素手にする。左手はアイスバイルを握り、ピックを岩にひっかけるようにして登る。二、三メートル登っただけで呼吸が乱れ、呼吸が動作に追いつかない。下を見れば、二〇〇〇メートル下の氷河まで切れ落ちている。こんな時でも僕は絶対に落ちないように精神的にも肉体的にも鍛えているのだ。こんな状況は過去に何度も経験している。落ち着いてヒマラヤ・クライミングを楽しめばよい。右手のホールドは間違っていない。このスタンスは欠けない。雪の硬さも大丈夫だ。まだまだ腕に乳酸はたまり始めていないぞ。六メートルは登っただろうか、右手はすでに感覚が麻痺しているので、岩にひっかけた左手のアイスバイルだけが頼りだ。最後の二メートルは素手になった右手を雪壁に突っ込み、そして大きく右足を上げて岩壁部を越えた。Ⅳ級くらいだろうか。

体中が酸欠だ。金魚のように口をパクパクさせる。一、二分だが、目が見えなく

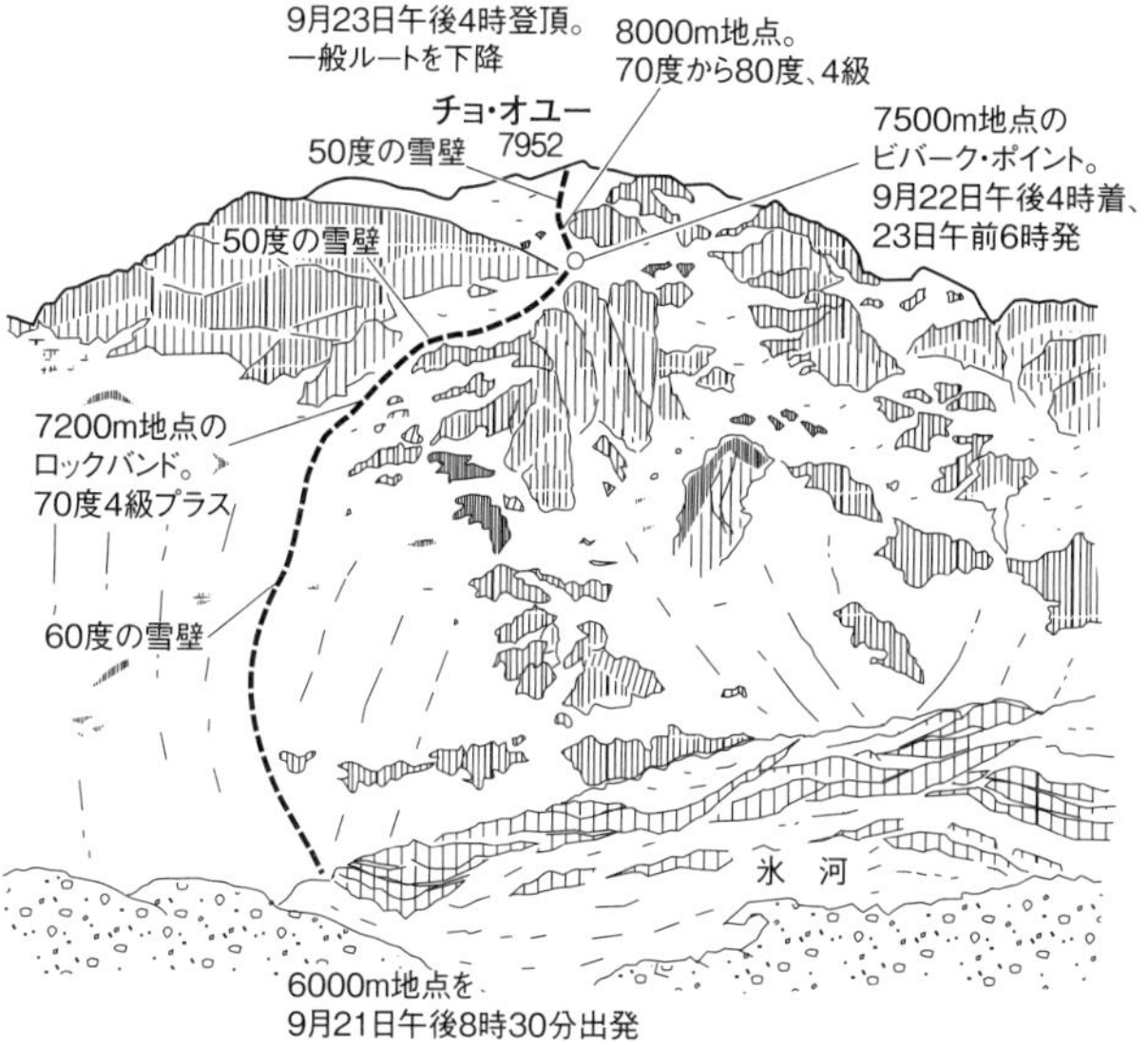
9月23日午後4時登頂。
一般ルートを下降
8000m地点。
70度から80度、4級
チョ・オユー
7952
50度の雪壁
7500m地点の
ビバーク・ポイント。
9月22日午後4時着、
23日午前6時発
50度の雪壁
7200m地点の
ロックバンド。
70度4級プラス
60度の雪壁
氷 河
6000m地点を
9月21日午後8時30分出発

チョ・オユー南西壁

なった。視神経が低酸素のためダメージを受けたのだろうか。腹式呼吸をして酸素を体に行きわたらせる努力をすると、視力は回復し目が見えるようになってきた。もし目がこのまま見えなかったら、僕はここで死ぬしかないわけだ。

この岩壁部を抜けて、初めて長尾・遠藤パーティが取り付いているルートが見えたが、登っている姿が見えない。

「敗退したのか、それとも……。心配だ」

久しぶりに他の人のことを考えた気がする。

標高八〇〇〇メートルを超えると、やさしい雪壁が続いた。本当の頂はどこだろうか。日本で資料を調べたかぎりでは、南西壁を抜けた地点から頂へはそんなに遠くはないはずだ。広く傾斜のない斜面が、雲ひとつない紺色の空に消えている。とにかく高い所、高い所へと残り少ないエネルギーを出し、体を持ち上げる。チョモランマ（エベレストの中国名）が見えなければ本当の頂上とは言わないと聞いているが、僕にとって本当にそれが必要なのかどうかを考えながら登る。やはり、クライマーには頂上が必要だ。区切りがほしい。

誰かが聞いたらびっくりするような奇声をあげながら頂上を目指す。声を出すたびに酸素がたくさん入ってくるような感じがしたからだ。もう体力は限界にきているのか、苦しさのあまり奇声をあげ、カメラ以外のものはどんどん置いていく。時間も気にならない。「単独」「新ルート」「アルパイン・スタイル」「八〇〇〇メートル」、これらの言葉はもう僕の頭の中から消え、今までの厳しかった道のりも忘れ、チョモランマが見えるまでと言い聞かせながら本能だけで歩いている。自分が、もう自分でない。僕の後ろを歩いていたあいつも消えた。そして、稜線の先にわずかに尖った山が見えた。チョモランマに違いない。

数歩、さらに数歩。本当の頂上に近づいた。最後の五〇メートル。今までの登攀をわずかに思い出すとともに、自分自身が強くなってきているのを感じながら歩いた。

頂上に着いたのは午後四時。広い雪面に足を投げ出し、腰を下ろす。ピッケルを刺した向こうには、チョモランマとギャチュン・カンが遠く見える。なぜかわからないが、強い感動はない。もう登らなくてもいいんだという安堵感と、この場所に今一人、座っている小さな喜びを感じるだけだ。風がまったくなく、とても静かで八二〇一メートルの頂上にいるとは思えないぐらいだ。もっと感動しなければならないのに、頭の中は空っぽで思考が働かない。この場所で考えなければならないことを考えるが、何もないのだ。ポケットにしまってあったコンパクトカメラを取りだし、シャッターを三回押す。よい写真を撮ろうと考えることもなく、機械的に体を動かすだけ。下降についても考える気がせず、むしろここに一生留まっていたいような安らかで落ち着いた気分だった。徐々に空気と白い雪と体にはっきりとした区切りがなくなり、思考は重要ではなくなった。そして体は自然の中に溶け込んだ。

三十分はいただろうか。それほど下界は必要でないように感じるが、生きて帰るために歩く時間だ。二、三日後でもよいから、彼女らが僕の残す足跡を発見できれば嬉しいと、そのとき思った。

下降するにつれて緊張感が緩みだし、同時に悲しさが湧いてきた。なぜこんな感覚に陥ったのだろうか。チョ・オユー南西壁に憧れて、そして迷い、厳しいトレーニングをこなし、恐怖に打ち克ち、限界まで肉体を酷使し、頂上に到達した。はたして人は大きな夢を現実にした瞬間が最も幸せと言えるだろうか。僕は上に向かって前進しているときが、一番幸せのような気がしてならない。南西壁と比べ技術的に問題のないノーマル・ルートだが、集中力が切れ始めたためか、少し歩くと座り込むようになった。太陽の力はすでになく、夕闇が迫っている。モナカのような雪はパワーを失った足にからみつき、北風が体力を奪い、ときどき下る方向を修正しなければ無気力な頭はやさしい方角ばかりに行きたがる。

小さなロックバンドを下らなければならない。心の中で繰り返す。今シーズンはチョ・オユーのノーマル・ルートからアタックした登山者はまだなく、誰も頂上に立っていない。当然、踏み跡はない。七五〇〇メートルにあるロックバンドの出口に一本のロックピトンを打ち、二〇メートルのロープをフィックスし下降。今回のクライミングで最初で最後のロープを使うことになった。

チョ・オユーは暗くなりかけ冷気に包まれ始めたが、ビバークすることは考えず下りなければと思っていた。あと五〇〇メートルは標高を下げたい。寝るにはまだ高く、酸素が薄い。ピッケルでブレーキをかけながら尻セードで二〇〇メートル以上滑り落ち、危険のないプラトーでビバークすることにした。

足で雪を固めることなく、凍りついたテントをかじかみながら素手で設営した。ザックを中に投げ入れ、雪がたっぷりついた靴のまま入り込み、ファスナーを閉める気力もなく、粉雪が吹き込むのも気にせず体を横たえた。南西壁の七五〇〇メートルを出発し、頂を越えこの七〇〇〇メートルに下り立つのに、十五時間以上、何も食べずに行動してきたためか体にはエネルギーが残っていない。しかも体は冷え切り、全身をガタガタと震わせていたが、数時間前よりも濃い空気を胸いっぱいに吸いこめる。安全地帯で横になっていると「これで本当に死ぬことはないだろう」という喜びと安らぎを感じた。ここは気温は低いが、薄い酸素に苦しめられることもなければ落石の危険性もなく、またロープでビレーを取らなくても墜落しない。決して家の中よりも安全とは言えないが、僕が間違いを犯す場所ではないのだ。

「僕は登った。そのうえ生きて帰れる」

こんな言葉を何度も胸の中で呟いた。それと同時に、過去に経験したことのないくらい自分自身を強く、また頼もしく思えた。

翌日の夕方、ザックにアウターシューズをぶらさげ、ダウンジャケットを縛りつけ、長い長い氷河を歩き通し、懐かしいベースキャンプにたどり着いた。近くにいる日大隊に食事を分けてもらい、這うようにテントの周りをうろついた。妙子・由加パーティが下ってくるのは、数日後になるだろう。

上空は相変わらず雲が少なく穏やかだが、ときどき、秋の気配を感じさせる冷たい風がベースキャンプを通過した。ここから南西壁は、右に張り出している稜線に隠れわずかに上部岩壁が見えるだけだ。二日前、本当にあの場所を登っていたのだろうか。決して大きくないこの体と、ほんのわずかな装備で、あの大胆な行動を現実に行なったのだろうか。まるで夢でも見ているように思えて仕方がない。

しかし、お尻の肉も含めほとんどの筋肉が削げ落ち、まるで木の枝のような体を見ると、どれだけの力を出し切ったかがうかがえる。両手で何日も洗っていない髪の毛をかきあげた後、顔を撫でてみると頬が異常にこけ、唇は深くひび割れているのに気がついた。風を通すためファスナーがあけられたテントの中には、分厚くたっぷりにダウンがつめられた暖かそうなシュラフがマットの上に広がっている。これを見ていると、長い間、温めてきた大きな夢を完成させ無事に帰ってきたことを理解した。

ヒマラヤのクライミングを始めた四年前には考えられなかった八〇〇〇メートル峰のバリエーションルートのソロ。次はどこに向かうのだろうか。登っていなくては不安で、また登っているときこそ最も生きていると感じられる僕だから、必ず次を求めるだろう。巨大でやりがいのある山に。もしかしたらK2西壁やマカルー西壁などの未踏の大物にも、いつの日か挑戦する機会があるかもしれない。その日まで自然についてもっと理解を深め、また能力を向上させるために厳しい山行を繰り返そう。僕にとって、ヒマラヤ・クライミングが人生の中で最も重要な位置を占め始めていたのは確かだった。

束縛されない時間と空間　　生活

わずかでも僕について知っている人は、まず普段の家での過ごし方や仕事に興味があるようだ。僕は通常八時に起きる。妙子は多分、七時よりも前に起きていると思うが、熟睡しているのでよくわからない。

のんびりと朝食をとり、クライミングに行かないときは町の図書館で借りてきた本を読むか、クライミング雑誌をなんとなく見て過ごす。もちろん難しい本などは読まず、簡単な推理小説やノンフィクションなどが好きだ。午後はスライドを整理したり頼まれている原稿を書くこともあるが、どちらもあまり好きな作業ではない。それでもいろいろなことを思い出すにはよい時間である。夕方には自転車に乗り、トレーニングをする。林道や標高差のある道を犬や猫に挨拶しながら息を切らせて登るが、これで体はやっと生き返るのだ。知人にもらった、このマウンテンバイクで、時には急な林道を猛スピードで駆け下り、何度も転倒している。夜は、風呂上がりにテレビを見ながらゆっくりとストレッチ。お酒は飲めないので甘いお菓子などを食べながら残りの時間を過ごす。妙子は和菓子派、僕は洋菓子派で、生クリームには目がないが、少しは体重を気にしてしまう。そして十一時には寝ることが多い。

家事は手伝わない、と言うよりも手伝わせてもらえない。僕には何もできないと妙子は思っているようである。ときどき、部屋の掃除をしたり、竈で米を炊いているので薪割りなどもするが、毎日ではない。あまりにも暇なときは、何かを制作する。大工仕事やペンキ塗り、時には絵を描くのも好きだ。僕には絵の才能があるかもしれない。最近、手に載るくらいの小さな石に人物や動物を油絵で描き、家の前に並べている。すると通りがかりのハイカーが写真を撮っていったり、なかには「売ってほしい」と言う人までもいる。もちろん売ることはない。

妙子は、日中ほとんど台所にいて、せっせと煮物など料理をしている。ときどき、山の中に入り、食材を採ってくる。春には、おそろしいほどの山菜がテーブルに並び、これをすべて食べさせられるのかと思うと、いやになることもある。

仕事はどうしているのか、海外へのクライミング費用をどのように捻出しているか。多くの人は、それらに本当に興味があるようだ。高校を卒業して以来、プレス工、防水加工業、窓拭き、岩茸採り、富士山の強力など、独身のときはいろいろな仕事についたが、どれもうまくやっていたと自分では思う。クライミング以外にお金のかかる趣味を持っていないし、昔から物欲はほとんどない。だから海外に行く費用も、比較的簡単に貯えることができていた。当時は一人、街中のアパートで生活していたが、何年もの間、布団はなくシュラフで寝ていたし、クライミング・ロープを丸めて枕替わりにしていた。クライミング・ギア以外は、本当に何もない部屋ではあったが、不便ではなかった。買いたい物も本当になかったので、お金をほとんど使わなかった。

一度だけだが、パタゴニアのフィッツ・ロイへ挑む計画の段階でお金に困り、スポンサーを捜すためにいくつかの会社を回ったことがあった。しかし、エベレストならばともかく、パタゴニアへの挑戦を理解してくれる人は現われず、それ以後、スポンサーを見つけるという行為を諦めたし、それでよかったのだと今でも思っている。

現在住んでいる奥多摩の我が家は、電気も通っていない、原始的で仙人のような生活をしているのではと思っている人がいる。自慢ではないが、家にはテレビも電話もパソコンも車もある。しかし、ほかの家庭と比べると、家庭用品は少なく、また無駄遣いもしない方だと思う。友人のなかには、海外に行くために質素な暮らしをしてお金を貯えているのだろうと思っている人もいるが、それは違う。もともと僕たちはこのような生活が好きなのだ。世間の多くの人は、安定した収入とマイホームのぜいたくを求めるあまり、時間に追われているようにさえ見える。しかし、僕には決して多くない収入だが、新鮮な空気は吸えるし、誰にも束縛されない時間と世界中に行ける自由があるのだ。友人のなかには、山岳ガイド業を勧める人もいるが、今のところその気持ちもないし、妙子もそんなにたくさん仕事をする必要がないと言っている。

数年前から生活の拠点を変えようと思っている。現在の場所は谷間で、冬になると山が太陽を邪魔し、二時間しか日が当たらないのだ。もう少し暖かな場所に引っ越したいと考えている。もちろん山や岩場にすぐに行ける環境が必要だし、温泉も近くにあればさらに嬉しい。そして畑もほしいと妙子は言っている。

第四章　ビッグウォール

――レディーズ・フィンガー南壁――

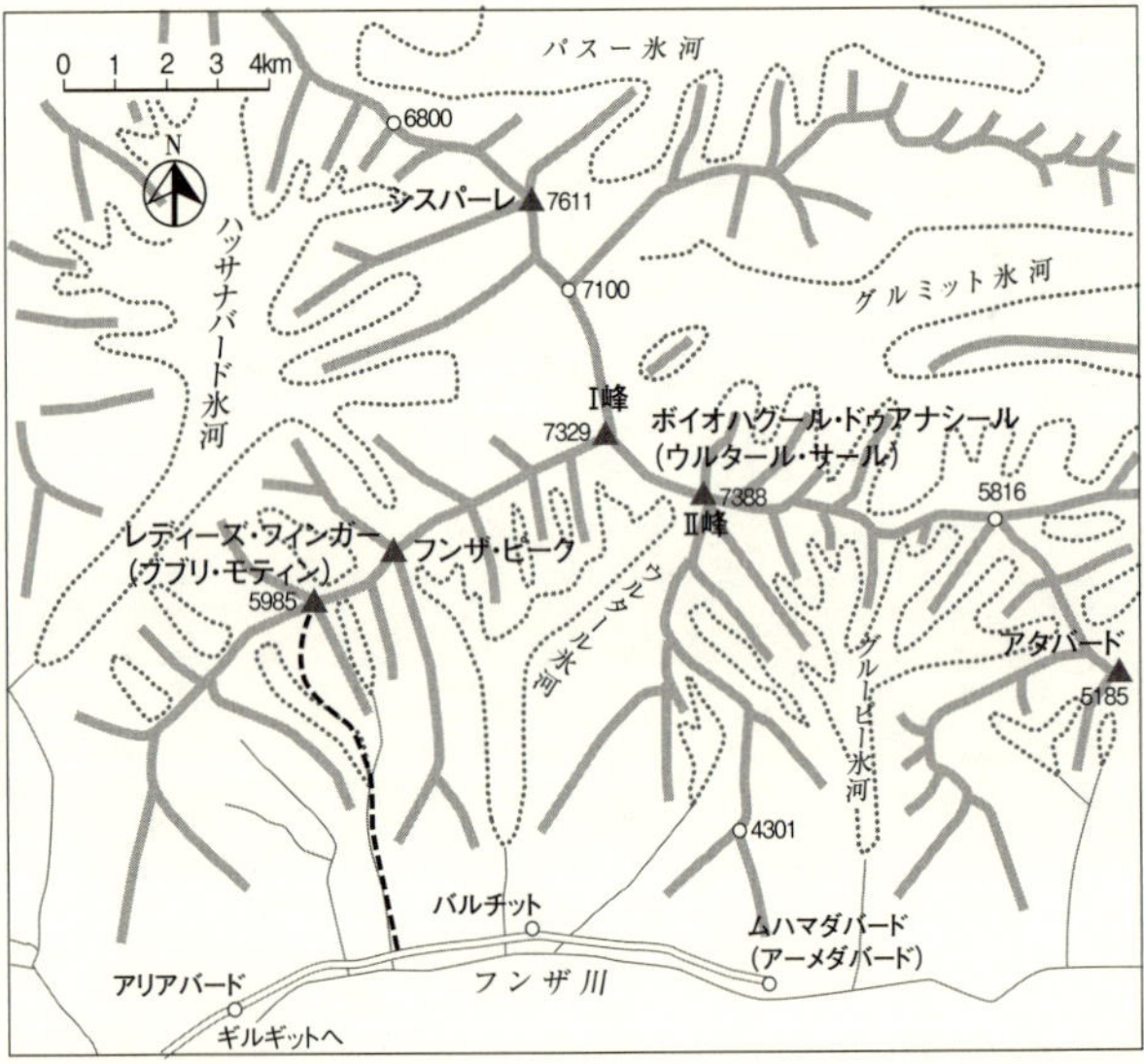
0 1 2 3 4km
N
パスー氷河
6800
シスパーレ
7611
7100
グルミット氷河
ハッサナバード氷河
I峰
7329
ボイオハグール・ドゥアナシール
(ウルタール・サール)
7388
II峰
5816
レディーズ・フィンガー
(ブブリ・モティン)
フンザ・ピーク
5985
ウルタール氷河
グルーピー氷河
アタバード
5185
4301
バルチット
ムハマダバード
(アーメダバード)
フンザ川
アリアバード
ギルギットへ

1

右手のささくれた指先からテーピングした血まみれの第二関節までを花崗岩のクラックにねじ込み、体を引きつけ、次に左手をさらに上にねじ込む。クライミングシューズの縁は、不安定ながらクラックをとらえている。そろそろ新たなプロテクションを設置しなければ……。もう五メートル以上、ランナウトしている。大量のギアから適切なサイズを冷静に探したいが、腕にはすでに乳酸が溜りはじめ、呼吸が激しくなる。

下を見ると、今の自分の状況をまったく無視するかのようにのんきに音楽を聞きながら確保する友人と、地上まで三〇〇メートル以上落ち込んでいる空間。上昇気流は何日も洗っていない髪を吹き上げ、壁に反射する紫外線は目に突き刺さるかのようだ。今日はもう十分だ。どうせ三日はまだこの壁から抜けられないのだから。

「ビッグウォール・クライミング」

なんと魅力のある言葉だろう。垂直からオーバーハングした巨大な岩壁を、何日もハンモックやポータレッジで寝泊まりしながら登る。もしかしたら垂直でのビバークこそ、ビッグウォールのなかではもっとも魅力的な行為かも知れない。僕は何年もの間、アルパイン・ルートを登るのと同じように、ビッグウォール・クライミングにも情熱を傾けている。無機質な雪と岩の世界もいいが、建築物のようなビッグウォールもクライマーの本能をくすぐり、垂直の壁のなかで何日も過ごしたくなる。

最初にビッグウォール・クライミングを体験したのは、カリフォルニア州ヨセミテ国立公園のエル・キャピタン。観光客が歩き回る道からわずか五分で取り付ける岩壁と素晴らしい天候、初心者から究極のクライミングを目指すクライマーまで幅広く世界各国から集まる。なかでもクライマーにとってエル・キャピタンは、象徴的なビッグウォールだ。世界でもっとも有名なこの一枚岩は、最大九〇〇メートルの標高差をもち、現在では六十本以上のルートがある。サラテのような厳しいフリールートから歴史的な人工ルート「シー・オブ・ドリームズ」などがあり、いろいろなテクニックを学ぶことが可能だ。

一九八六年、エル・キャピタンの「ゾディアック」が、僕にとって最初の本格的なビッグウォールになった。パートナーは日本登攀クラブの仲間、岩田堅司さん。その当時、僕達は荷揚げ用のホールバックを持っていなかったので、岩かどに引っかからないように普通のザックをガムテープでぐるぐる巻きにして代用し、前進するためのクライミング・ギアもカム類は八つしか持っていなかったので、重いピトンをたくさん使用しなければならなかったのだ。また岩壁用組み立てベッド、ポータレッジもメキシコ人から二〇〇ドルで買った一人用が一台しかなく（二泊目でそれは壊れた）、もう一人は窮屈なハンモックで我慢しなくてはならなかった。初めてのビッグウォール・クライミングは、二人とも未熟で、ピトンのサイズを選ぶのに苦労したしスピードもなかったが、ほとんどが楽しい思い出である。

「ビレー解除、荷上げするぞー」

「OK、上げていいよー」

「いくぞー」

滑車を通したロープに全体重をかけると、ガムテープの巻かれたザックが空間に放り出され、ギシギシ音を立てながら上がってくる。壁の中で大雨が降ったときも、「うぁー、俺達ぜんぜん雨に濡れないよ」「さすがエル・キャピタン南東壁、オーバーハングしてるわ」「こりゃ最高だ」など、大声ではしゃぎながら登りつづけた。あの「ゾディアック」での数日は、生涯、忘れることのできない思い出である。

一九九五年、僕と妙子、中垣大作は、パキスタンはフンザ地方にある五九五〇メートルのビッグウォール、レディーズ・フィンガー、別名ブブリ・モティンを目指してやってきた。フンザのカリマバードから見えるレディーズ・フィンガーは、確かに女性の指のように細く鋭く、噂されただけのことはある。北面のリッジからはすでに登頂されているが、まだ正面の南面、東面は未踏で、数多くのチームを退けている。イギリスやユーゴスラビアの強力なビッグウォール・クライマーも、壁の半分にも達していない。が、アメリカの情熱的なソロ・クライマー、ジム・バイヤーが頂上直下まで登っていることは、彼が素晴らしいテクニックと忍耐力を持っていたことを示している。

初めてレディーズ・フィンガーを見たのは、三年前の一九九二年。フンザ出身の登山家、ナジール・サビールから美しい岩峰があると聞いた僕は、ガッシャブルム遠征後、妙子とともにカリマバードから半日トレッキングし、カメラを持ち歩きながら偵察したが、それほど大きさは感じなかった。

今まで度肝を抜くようなビッグウォールを世界各地で見てきた。ソロで登った北極圏にあるバフィン島のトール西壁などは、ヨセミテのエル・キャピタンにさらに五〇〇メートルの壁を足したよりも大きく、見上げていると首が痛くなった。アタック前は、自分が壁の中にいることを想像するだけで吐き気がするほどだった。トール西壁で味わった八日間の強い孤独感と精神をすり減らすような人工登攀を経験しているだけに、レディーズ・フィンガーの正面壁は問題ないように見えた。しかし、この偵察トレッキングの後、実際に挑戦するまでには三年の歳月を必要としたことになる。

ある冬の日、電車の中で中垣大作と現在のクライミング状況を熱く語っているとき、ふとレディーズ・フィンガーの話が出た。

「ガッシャブルム遠征の後、見にいったんだ。そんなに大きくは感じなかったけれど綺麗な壁だったよ」

「なにしろ尖っているよ」

「それに六〇〇〇メートル以下だから、特別な許可も要らないし」

それらの言葉に中垣も興味を示し、目を光らせた。

「どのくらいアプローチかかるかな」と聞くので、僕は安易に「アプローチも一日あれば十分で難しくないよ」と答えてしまったが、それは後で後悔することになる。僕は自分のプランに興奮し始め、その時からレディーズ・フィンガーのことで頭がいっぱいになったことを覚えている。中垣はエル・キャピタンでも厳しいルート、「ロスト・イン・アメリカ」や「シー・オブ・ドリームズ」などを完登しており、ほぼ完成したビッグウォール・クライマーと言えるだろう。またヒマラヤ遠征も何度か経験している。今までに一緒に登ったことはないが、体力はもちろん、岩壁の中での計算能力が優れていると聞いていたので、最高のパートナーになることは間違いない。

2

カリマバードの茶色い水しか出ない中級ホテルの部屋の中には、大量のクライミング・ギアと食料が集められている。一一ミリ五〇メートルのリードロープ二本、フィックス用一〇ミリ五〇メートルのスタティックロープ二本、荷揚げ用ロープ一本、ホールバッグの補助用八ミリ二〇メートルを一本、ポータレッジ三台。ビッグウォール用ギアとして、カム三セット、ナッツ三セット、ピトン三十本以上、カラビナ百五十枚等々、多すぎて全部ここに書けたものではない。もちろんアイゼン、ピッケル、プラスチック・ブーツなど、アルパイン装備も用意してある。

食料については、朝はビスケットとスープ、昼はチョコバー一本、夜はラーメンかライスに振りかけ。二週間分用意したが、僕達の胃は一日中満たされることがないことになる。ひとつだけ気にかかる噂を地元の村人から聞いた。ドイツとイギリスの二パーティもレディーズ・フィンガーに挑戦するという。果たしてそれが真実かどうかは定かではないが、気分がよいものではない。温めていた計画の先を越されるのは、いくらクライミングが競争ではないといっても悔しい。

やさしい草原を横切り、二〇メートルのチロリアンブリッジで、落ちたら確実に死ぬと思われる谷を渡り、小さな岩稜の横に三人用テントを設置し、小さなベースキャンプが作られた。ここからは壁の全容がほとんど見わたされるが、予想に反して、頂上に向かってまっすぐ続く節理を発見できなかった。ベースキャンプを設営したここが唯一の安全地帯で、一〇メートル離れた氷河上で水を汲む際も、いつ上から落石があるかもしれない危険な場所だった。

「まず偵察しよう」

「壁までのアプローチも結構やばいよ」

「さっきも冷蔵庫くらいの石が落ちていたし」

「雪壁に日が当たる前に早朝から行動しよう」

フリーズドライのライスを頬張りながら、これからの作戦を練る。三人とも百戦錬磨のクライマーなので、それほど強いプレッシャーを感じず、むしろこれからの登攀にわくわくしている。妙子はこれまでにヒマラヤなどの高所は何度も経験していたが、本格的なビッグウォールは登っていなかった。ヨーロッパ・アルプスで長い間登っていたが、それらはあくまでも雪と岩のミックス壁でビッグウォール・クライミングとは異なる性質の登攀だ。そこで今回、レディーズ・フィンガーの計画が決まったとき、僕達は事前に春のヨセミテ、エル・キャピタンでトレーニングすることにしたのだ。ビッグウォール・クライミングは、アルパインやフリーのようにもって生まれた才能がクライミングの成功を左右することはまれで、経験を積むことにより登攀能力は自然に高まり、快適で安全な垂直の旅が行なえるようになる。ピトンの打ち方から回収の仕方、コパーヘッドやスカイフックなどの特殊なギアの使い方、荷上げの方法に岩壁での生活まで覚えることはたくさんあるが、すべて長いルートを登り、長時間、岩壁のなかで過ごすことにより学べるものだ。

そのなかでも、もっとも重要なのはあらゆるギアを駆使しての人工登攀の技術だ。春に僕達が最初に選んだのは、グレッグ・チャイルドとランディ・リービットが拓いたA5のグレードがついた「ロスト・イン・アメリカ」。A4+がつけられた二ピッチとA5のつけられた一ピッチは僕が担当、残りのピッチはなるべく交替で登るようにした。

エイドのグレードを説明しておくと、体重をかけてもがっちりし、まったく抜けそうもない支点で登る場合は、もっともやさしいA1がつけられる。支点の支持力がぎりぎりになり、墜落の予想距離が長くなるにつれてA2、A3、A4、A5と上がる。グレードが上がるにつれ、それだけ難しくなり、神経をすり減らし、時には一日に五〇メートルしか進まないこともある。ちなみにA5がつけられたピッチの墜落予想距離は、五〇メートルくらいと言われ、危険性は高いが僕は落ちたことがないのでよくわからない。

「ロスト・イン・アメリカ」五日目。両肩にずっしりと食い込むギアを使いやすいように並べ、ハーネスの後ろに荷揚げ用ロープをつける。アブミを四つぶら下げる。完璧な装備だけに動作は鈍い。このA5がつけられた十二ピッチ目、何時間かかるかわからない。

最初はウロコ状のフレークにナイフブレードを叩き込み、カラビナをセット。さらにアブミをそこにつけ、体重を少しかけてみる。最初からイヤだ。顔を横に向けていないと、ナイフブレードが抜けたら目に突き刺さる。次は全体重でショックをかけてみる。心拍数は上がり、冷静になるまで次のギアをセットできない。次もナイフブレードだ。が、打ち込んだときの音があまりにもよくなかった。

「キンキン、カンカン、コン」

また心臓が高鳴り始めた。テラスまでの四五メートルに四時間はかかるだろうか。今は一メートル、一メートルに集中しなければならない。「ドゥ・オア・フライ」と名がつけられたこのピッチは、〝成功するか落ちるか〟と当たり前のような名だが、最後の一〇メートルは大変難しかった。わずかな皺に打ち込んだコパーヘッドはどれも、まともに効いたとは思えなかった。もし落ちたら下に設置したいくつものコパーヘッドは墜落の衝撃に耐えられずに抜けるだろう。オーバーハングした岩壁は足元からゆうに三〇〇メートル以上切れ落ちている。もしもの時は、妙子の確保によりいつかは墜落を止めてくれるだろうが、A5がつけられたピッチの終了点間際で落ちるなんて考えたくもない……。このときも墜落せずに登り切ったが、それにしても冷汗が大量に出て、へとへとになった日だった。

妙子はといえば、持ち前の大胆な動作でA3のピッチもなんとかこなしていった。「落ちるかもしれないよ。頼むよ」と連発する割には、平気で花崗岩の小さなエッジにスカイフックをかけた。むしろ指示を送りながらビレーする僕のほうが神経をすり減らしていたのだ。

春のエル・キャピタンでのこの五日間の登攀で、僕は昔の感覚を取り戻し、妙子はマスターしたとは言えないもののほぼすべてのパターンを理解した。

レディーズ・フィンガーへのアプローチはやはり危険そのもので、まるでロシアン・ルーレットのようだった。各自、膨れ上がったザックをかつぐと、上を見ながら歩くことは不可能で、必ず二人が行動しているときは一人が歩くのを止め、上部をうかがい、石が飛び跳ねながら転がってきたときのために叫び役となった。頭大の石はもちろん、冷蔵庫大の岩も転げ落ち、いくら反射神経のよい人間でも、この重いザックでは敏捷に動けない。ちょっとした安全なリッジから壁を見上げる。まるでアルプスのドリュのようにとんがり、青空に突きささっている。

「それにしてもやばいアプローチだったね」

ほとんど恐がることのない妙子ですら、こんなことを言っている。

「まるでいじめられているみたいだよ」

と答える中垣。

「西壁はここから見ると小さいし傾斜もないね。衝立岩か屏風岩ぐらいにしか見えない」

「西壁ならすぐにでも登れそうだな」

「いや、花崗岩の色からして脆いよ。それに南面や東面のようにスッパリ切れ落ちたところで垂直の旅行を楽しむために、ここまではるばるやって来たんだ。頂上に立つのは、本当は重要ではないんだ」

確かに中垣の言うとおり、僕達はビッグウォールを楽しみに来たのだ。

「南壁の灰色のディエードルを登ったらかっこいいなあ。迫力のあるルートになる」

奪い合うように双眼鏡で南面を観察する。顕著なディエードルから剥離しそうな灰色のハングを越え、細いクラックが蜘蛛の巣のように張り巡らされた上部につなげられる。これは無理なく美しく、露出感たっぷりのルートになる。

八月十三日、南壁の基部にある三畳ほどのテラスに荷物を集結し、午後からは最初のピッチに取りかかった。中垣が五メートルも登らないうちから浮き石をつかみ、全員ひやりとする場面もあったが、すぐにしっかりしたクラックを人工登攀で確実に登っていった。

今回、僕達はカプセル・スタイルを採用している。この方法は僻地のビッグウォールで使われており、合理的でなおかつクライミングを楽しめる。カプセル・スタイルとはポータレッジをぶら下げて、キャンプ地とし、三ピッチまたは四ピッチをフィックスした後、ポータレッジ・キャンプをフィックスしたロープの最上部に移動し、すべてのギアやロープを回収後、さらに次の三、四ピッチを拓いていくという方法だ。

次に僕が目の細かい赤い花崗岩のクラックを登攀するころ、妙子は取付でせっせと雪を溶かし、水作りに励んでいる。二〇リットルの折り畳み式水筒と二十五本のコーラのペットボトル四〇リットル分、これに全部詰めたら六〇リットル以上になるが、荷揚げしないわけにはいかない。壁の中で雪がとれる可能性は少ないし、五〇〇〇メートルの山といえども、この高度での脱水症状は行動と思考能力を低下させる原因になる。

三日目、技術的に心配だった一〇〇メートルにもわたる灰色のハング帯は埃っぽく、打ち込んでいくコパーヘッドの強度に自信がもてないので動きは鈍い。しかし、コウモリのようにオーバーハングにぶら下がり、誤って石を落としても岩壁のどこにも当たらず氷河までまっすぐに落ちていく様子を見ていると、自分がビッグウォール・クライミングをしている幸せでいっぱいになった。

ナイフブレードを壊れそうな岩に叩きこんでいるとき、誤って三〇センチ四方の岩を落としてしまった。はがれた岩は岩壁に触れることなく空間を落ちていく。まるで空中をさまよっているようでまったく音がなく、静寂に包まれて時間が止まってしまったようだ。三秒後、途中の下部岩壁に当たった岩はみごとに、こなごなに砕け、さらに落ちて白い氷河に消えていく。僕は息をするのも忘れ、その様子を眺

ベースキャンプ付近から見た
レディーズ・フィンガー南壁

めていたが、再び何ごともなかったように登り出す。パートナーも再び僕の動きに合わせてロープを繰り出す。下で確保するパートナーは、僕がどんなに大きな墜落をしても安全に、そして確実に止めてくれるだろう。不安定な支点のもとで常に複雑なロープワークを強いられ、そのうえ一瞬たりとも気を許せないソロ・クライミングでは感じることのできない安心感と幸せだ。

クライミングを開始してから四日もすると、僕達のルートよりも右側から登ってくるイギリスの二人組が見え始めた。派手な真っ赤なジャケットを身にまとった彼らは、ジム・バイアーが試みたルートから登っている。向こうがこちらにカメラを向けているので、僕も彼らの登りを撮影するが、残念ながら会話できるほどは距離は近くない。本来、ライバルになるイギリス・パーティだが、この大岩壁でほかのクライマーが近くにいることは、心強くもあり励みにもなった。しかし数日後、その彼らも残念ながらレディーズ・フィンガーの登攀を諦め、下りていくことになった。

「やっぱりチョコバーばかりじゃ、やってられなくなったんだろう」

「朝、昼、晩、それしか食べないって言ってたもんな」

「いくらスポンサーから提供されているといっても、あれだけじゃたまんないよ」

そんな会話をする僕達だったが、こちらとて決して豊かな食料とは言えず、むしろ僕は毎日、空腹でたまらなかった。実際、登攀後のレディーズ・フィンガーでの思い出はと聞かれれば、まず一番にお腹がすいたことをあげるだろう。

三台のポータレッジはそれぞれ五〇センチと離れていない。すべて手渡しできる距離だ。四〇センチ×一九〇センチのパイプでできたポータレッジだが、背中に敷いたマットは薄く、シュラフも薄い。冷たい上昇気流を常に感じた。厳しいルートに加え、一五〇キロ近い荷物を荷揚げしなければならないので、体の筋肉は悲鳴をあげている。そろそろ食事の時間だ。

妙子がコンロに火を点け、調理する音が聞こえるが、メニューは見なくてもわかる。フリーズドライのライスをおじやにしたもの。味気のないおじやは、小さなカップ一杯にならないほどの量になる。

「できたよ」

「受け取るまで絶対に離すなよ」

ポータレッジのフライから妙子の方角に手だけを出す。

手を伸ばして受け取ると、コッヘルはやはり軽い。中身は少し塩味をつけたお粥が茶碗に一杯ほどで、見るからにカロリーが少なそうだ。すぐに食べたい衝動にかられるが、食べてしまうのがもったいないようですぐには口に運べない。実際、大き目のスプーンで五回すくったところで、コッヘルは空っぽになってしまい、一粒の米も残さず食べたが、二十秒であっけなく夕飯は終わってしまった。食後にお腹がすいている……、これはあまりにも悲しい現実だ。ヤッケのポケットを探ると、昼に支給されたわずか一本のチョコバーの包み紙が入っている。いつもどおり包み紙についたチョコの破片を口に入れ、気分を和らげるが、胃は満足していないことはわかった。

「食料計画、失敗したかな……」

「イスラマバードで、もっと買い物を検討するべきだったよな」

「油ギトギトのカレーを食べたいよ」

「明日の朝もいつもどおり、クラッカー五枚と紅茶だよね」と僕が妙子に聞くと

「あと何日で壁を抜けられるかもまだわからないし、予定は変えられないわね」と冷たい答えが返ってきた。中垣が「まるで断食しながら登っているみたいだ」と言うと、三人とも思わず笑ってしまった。

3

この日、空腹よりもクライミングに影響する悪天候がやってきた。雪がフライを叩きつけ、上昇気流が強くなり、ますます寝ている背中が冷たくなってきた。さらにまずいことにフライの縫い目からは、ポタポタと水滴が落ち始め、今まで快適だったシュラフを足元から濡らしはじめる。

「シュラフをしまわなくては」

ビニール袋に乾いている衣類などと一緒に押し込むころには、さらに激しく雪がフライを叩きつけるようになった。日本にいるときに、ちゃんとフライに水をかけるテストをしておけばよかった。風が吹くたびにフライははためき、顔にペッタリと引っつき冷たくてとても不快だ。ここからは見えない向こうの二人も、試行錯誤している様子が音でわかる。そして状況はますます悪くなり、僕達はトイレを我慢しながら、たっぷりと湿ったポータレッジの中で眠れない夜を過ごすしかなかったのだ。

翌朝も雪が降り続いていた。しかし僕は我慢の限界がきて、いつもの「モチベーションの上がりすぎ」という悪い病気が出始めた。

「今日、登ろうよ。僕がリードするから、妙子はポータレッジから確保してくれるだけでいいよ」

「もう少し待ったほうがいいよ」

冷静に考えれば、妙子が言うとおり、こんな状況では登らないほうが賢明だろう。

「大丈夫だ、日本の冬季登攀を考えたらどおってことないよ。それにこんなところでぐずぐずしていたら食料がなくなっちゃうよ」

こんな会話をしながら、僕はすでに準備を始めていた。

「凍傷になるよ」

「大丈夫、どうせ人工登攀で行くから」

僕はフライを跳ねのけると、冷静でなければいけないのに徐々にクライミング・マシーンに変身してきている自分を感じてしまった。クライミング・ギアの上に降り積もった雪をどけ、凍ったスパゲッティのように絡みついたロープをいらいらしながら解き、人工登攀で登り出す。

ディエードルには上部からひっきりなしに雪が落ちてきて、スピードは上がらなかったが、上空は少し青空ものぞくようになり、内心、「やっぱり登って正解だ」と思いながら登る。二時間もすると気温は高くなり、雪からミゾレに変わり、ディエードルには水が流れるようになったが、天候はますますよくなってきた。そして昼になるころには青空も太陽ものぞき、僕達は再び頂に向け、フル活動し始めたのだ。

登攀十日目に入り、十六ピッチ目、レディーズ・フィンガー登攀でもっとも印象深いクライミングができた。登り始める前からプロテクションが取りづらいことはわかっていた。花崗岩の垂壁をフリー・クライミングするには、あまりにも重く、摩擦力に自信がもてないダブルのプラスチック・ブーツ。小さなナッツをときどき決めては、頭を使う複雑な動作を必要とした。傾斜は八十度もないが、手がかりは外傾した一センチほどのホールドばかりで、それらは埃っぽく、多くの微妙な動作が必要なのに、いちいち砂を落とさなくてはならない。

パキスタンの岩壁にいることさえ忘れ、集中していたが、あやうく東からの風でバランスを崩しそうになる。一瞬、諦めて落ちてしまおうかと思ったりするが、それは後のち、レディーズ・フィンガーの悪い思い出になるだろうと我慢した。ロープいっぱい五〇メートルの場所で、手がかりのないテラスにマントリングではい上がる。

標高五八〇〇メートル、この高さで無酸素の動きはよくない。しばらく頭はくらくらしたが、この危険で特徴のある垂壁を解決したことでいっそう頂への道は拓けた。

十一日目には中垣が、一〇〇メートル以上はあると思われる赤色のコーナーに向かい、妙子が確保し、僕はポータレッジの上で太陽の日を浴びながらの休養日になった。ピトンをハンマーで打ち込む音を聞きながら寝転び、ときどき、彼らの奮闘をカメラに収めたり、空想にふけったりして過ごす。ビッグウォール・クライミングは、登っているときはもちろんだが、こんなふうに高みで寝転ぶのも幸せなひとときである。

周りを見れば、スパンティークなどの山々が遠くに見え、下のほうには緑に覆われたカリマバードの村の家々が見える。そしてトンビのような大きな鳥は、不思議なものを観察するように壁に近寄ったり、上空を旋回したりしている。新宿の高層ビルを何倍にもした岩峰を登りつづけることはいつも安全に気を使い、わずかながら緊張もしているが、それも心地よいのだ。何日もビッグウォールを登りつづけると、アルパイン・ルートを登っているときのように早く壁を抜け出し、頂に立とうという気持ちが薄れてくる。一種独特の精神状態になり、この岩壁での生活があた

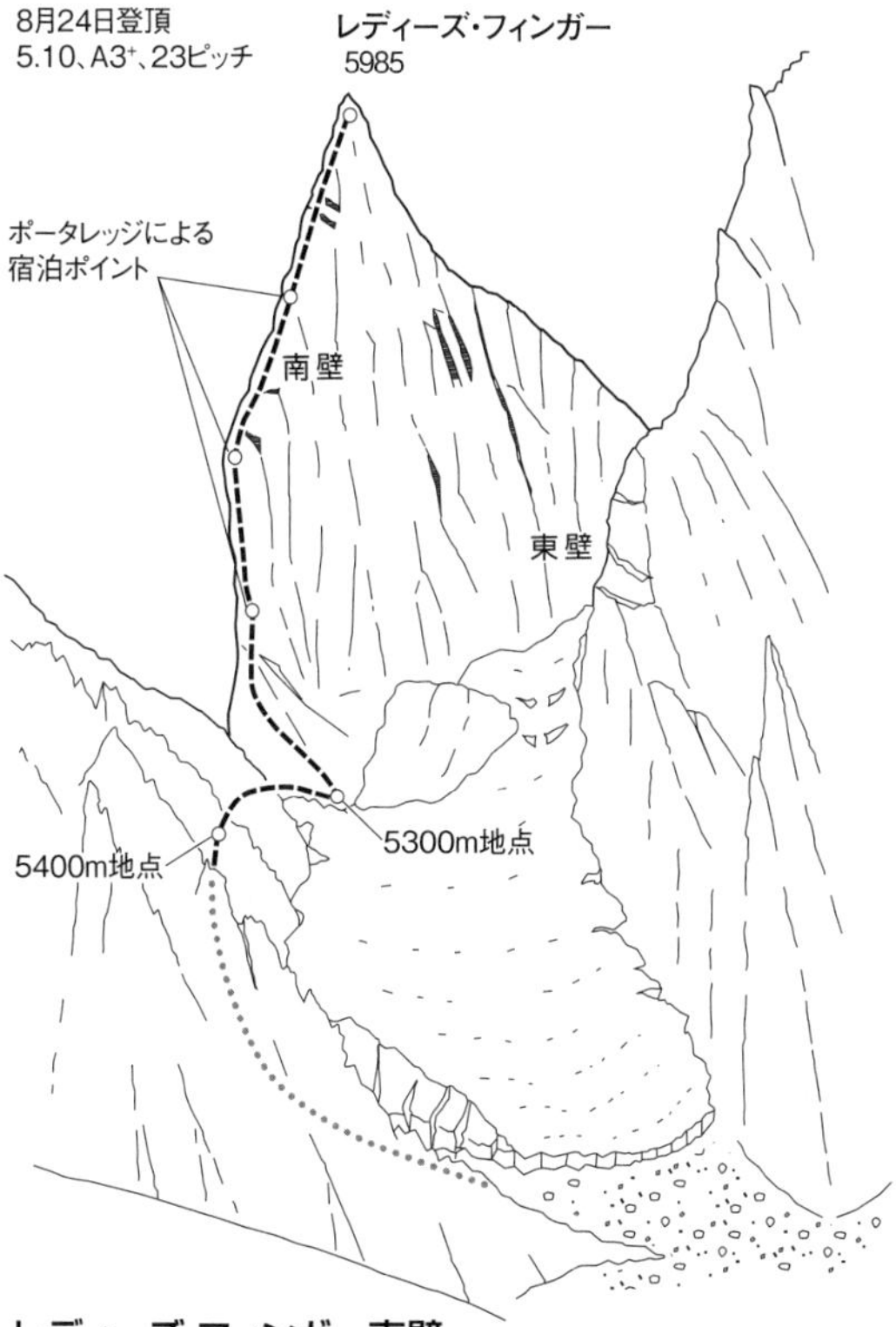

レディーズ・フィンガー南壁

りまえで不思議なものに感じなくなってくる。

八月二十四日、太陽が壁を暖め、氷はひっきりなしに僕達に襲いかかるように落ちていた。しかし、僕達は、頂上に立てることを確信したかのように、無駄なく素早く高度を上げていった。全員大きな笑い声を上げ、お互いに記念撮影を繰り返し、前進する。太陽に照らされキラキラと光る赤い花崗岩に僕は親しみさえ感じ、はなれがたい存在に思えてならない。この楽しい時間ともうすぐお別れである。今、この時を皆でゆっくり味わおう。最後のピッチ、チムニーを登る妙子に、僕と中垣は「もっと早く登れ、しっかりしたプロテクションをとれ」「早く頂上に立て」とせかす。妙子はとがった三角形の岩にビレーを取り、ロープをフィックスし、大きく手を振る。

「OK、着いたよー」

僕達は声を上げながら、期待に胸を膨らませフィックスされたロープをユマールで上がる。頂はすぐ近く。そして三人が頂上に集まった。全員、興奮しながら写真を撮り合い、笑い、展望を満喫する。遠くにはK2らしき山まで見え、独立峰でどっしりした形のラカポシはすぐ近くに光り輝いている。

僕達のレディーズ・フィンガーのクライミングは、本当にすべてがうまく運んだ。素晴らしいチームワークだったと思う。僕はまだ無事に下山していないのに、青空を見つめながらこれから未来に広がるビッグウォールについてつい考えてしまった。ヒマラヤはもちろん、思いはグリーンランドに、南極大陸と中国に向かい、いかに条件が厳しくとも勇気をもって地球上にある大岩壁に挑みつづけようと決心した。そして今回のように良い仲間と再び挑戦するのもいいだろう。力がそろって気が合う仲間と登ることは、時にはソロよりも充実感を与えてくれるかもしれない。情熱をもったクライマー達が集まり、入念に話し合い、緻密な計画を立て、それぞれの知識とテクニックを合わせれば、不可能と思われる大岩壁も攻略できるだろう。お互いに見栄を出さず、パートナー達を思いやりながら登れば、最高の思い出が作れるだろう。この十二日間、中垣大作の確実なテクニックと妙子の安定した精神力は、僕に楽しさいっぱいのビッグウォール・クライミングを与えてくれた。

僕達は長い時間、頂にとどまった。三人とも先ほどまであんなに騒いでいたのに、いつのまにか無口になり景色だけを見つづける。冷たく爽やかな風は、傷ついた僕達の体を癒し、空腹は感動のスパイスとなった。

バラエティに富んだ人生のスパイス　仲間

僕は一人で登ることが多いので、時には人間嫌いではないかと誤解される。笑わない、哲学者のような気難しい性格ではないかと思っている人までいる。そんなことはない。

答えになっていないかもしれないが、野生動物を含め生きものすべてが好きなのだ。自分で言うのもおかしいが、比較的人当たりもよいし、誰とでも仲よくなれると思う。また友人も多くいるほうだと思う。実際、友人と登ることも頻繁にあり、ソロ・クライミングよりも充実していることさえあるのだ。ソロのときは集中しなくてはならないため、「楽しさ」を失われることがあるからだ。

僕はガイド業はできないが、どんなに価値感の違うパートナーにも印象に残るようなクライミングをしてもらえる自信はある。かなりサービス精神もあるほうだと思う。

「山野井と登ると、いつもユニークな体験ができる」

そのように思ってもらいたいのかもしれない。

いろいろな友人と一緒に登れたおかげで、喜びを共有できたと思うし、助言や情熱も与えてもらった。彼らとの交流がなければ、僕の成長もなかっただろう。

十代のころを思い返せば、中学生時代は剣道部に入っていたが、僕はひまさえあれば部員達を誘い、山歩きや沢登りなどに遊びにいっていた。いつも無計画で、付近の山名も知らず、またどんな場所でも直登するような無茶な登り方をしていた。それでも冒険をしているという感じで、満足していたと思う。

高校に入学すると、日本登攀クラブの仲間とのクライミング以外にも、同級生と四方津、城ヶ崎、小川山と、当時の有名な岩場を手当たり次第に挑戦したものだ。みんなでルート作りを競ったり、その新ルートに発表できないような品のないルート名をつけたりして喜んでいた。仲間達と一緒にトレーニングに励んだこともある。ある友人の自慢は、一本指懸垂で、その当時、一番岩場を登れていた僕に見せびらかし、悔しい思いをさせられたのを覚えている。彼らと会う機会はなくなったが、あの輝いていた時代を彼らも決して忘れてはいないだろう。

海外の山に行くようになると、定職を持たずに登りつづけるクライミング・バムの人々と出会った。彼らの自由きままな生き方は、すがすがしさとともに後悔のない人生とは何かを教えてくれた。キャンプ場でたき火を囲み、真夜中まで未来について語り合ったことを懐かしく思い出す。彼らとは、アメリカの荒野を何千キロと車で走り、岩場を求めた。一緒に登っていたあの仲間達は、相変わらず、きままな生き方をする僕をどのように思っていることだろう。羨ましく思ってくれたら、すごく嬉しい。

若いころは、「一人でも生きていける。孤独も大いに結構」と思っていたものの、僕の周りには、いつもたくさんの仲間がいたし、みんな優しい人達ばかりだった。

仲間がいなくても人間は生きていけると思うが、仲間がいたほうが断然、人生はバラエティに富んだものになる。今後もいろいろな人達に出会うだろう。若者、歳をとった人、そして海外の人々、彼らとの出会いを大切にしながら登りつづけていきたいと思う。

第五章　死の恐怖

マカルー西壁とマナスル北西壁

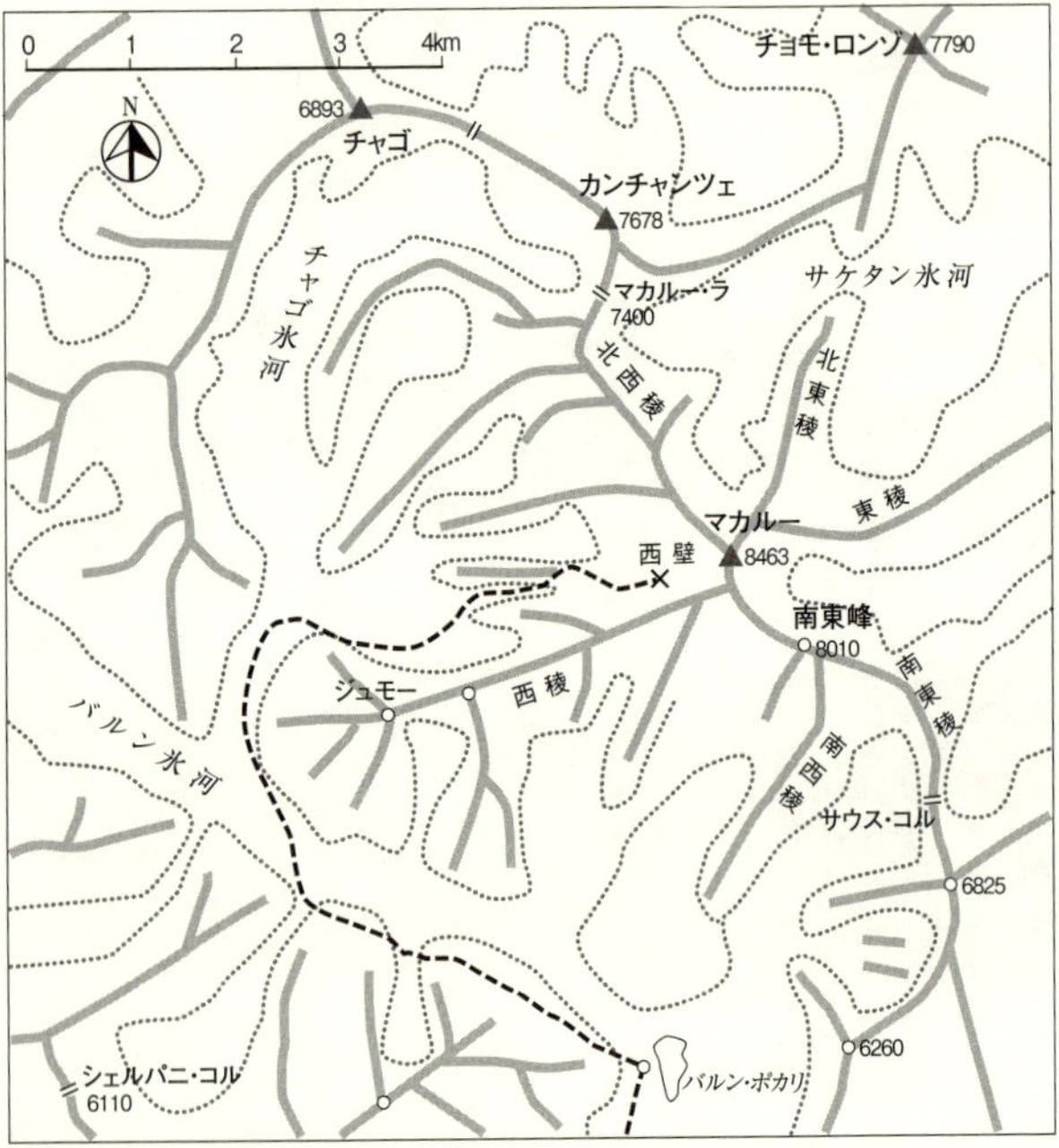

0
1
2
3
4km
N
チョモ・ロンゾ
7790
6893
チャゴ
カンチャシツェ
7678
マカルー・ラ
7400
サケタン氷河
チャゴ氷河
北西稜
北東稜
東稜
マカルー
西壁
8463
南東峰
8010
南東稜
ジュモー
西稜
バルン氷河
南西稜
サウス・コル
6825
6260
シェルパニ・コル
6110
バルン・ポカリ

1

強烈な衝動と激しい情熱――。人生のほとんどを登ることに捧げている僕は、本当に純粋に登っているだろうか――。

登山史上の偉大なクライマー達は、なぜ初登頂や初登攀を求め、タイトルを勝取っていったのか。命をかけた登攀に挑戦したほとんどのクライマーは、それが社会性に乏しい行為とはいえ、社会に記録を残してきた。僕も強烈な衝動から登攀を計画し、成功した後、友人達が僕の記録を読み、びっくりすることをどこかで期待しているのも事実だ。

僕は何度も山岳雑誌に記録を書いてきたが、正確に、そして大袈裟な表現にならないように気をつけてきたつもりだ。刺激的な文章は読む者を感動させるかもしれないが、後世に誤ったことを伝えることになるかもしれない。また、記録を書くことは、発表しなくても自分自身の登攀能力や山との関係を理解するのに役立つだろう。

ここで断っておくが、決して功名心から記録を発表するのではない。確かに高校生のころは、雑誌に載るような難しいクライミングをして、ほかのクライマーから認めてもらいたくて、うずうずしていた時期もあった。だがある日から、それは大変危険な考えであることに気がついた。クライミングはほかのスポーツなどに比べて、自分の力量が測りづらい。名声だけを求めて高いレベルに推し進めていくと、それは必ず死を予感させることにつながるのだ。ごく一部には売名行為のような登山をするクライマーもいるが、彼らの実力はたいていたいしたことがない。

二十代、もっとも危険なクライマーと言われてきたが、僕は生き残り、何人かの大切な友人は亡くなっていった。「山野井は運がいいから生き残れたんだ」と人々は言うが、それは決して正しくないと思う。その時その時、計画のなかで自分の技術と体力が、これから向かう山の難しさを突破できるのかいつも悩み、心から登りたいのか考え、実際の登攀中も山からの危険を読み取り、自分の能力を見つめ、そのなかで最高の決断を下してきたつもりである。僕は、誰よりも登攀中は臆病なほど慎重になるし、どんなに天候が悪くても、どんなに脆い岩が出てこようと、一瞬たりとも諦めようと思ったことがない。どんなに限界状況に陥っても、生き延びようとする強い意思を昔から持っていたと思う。たくさんのクライマーを失ったが、僕はこうして生きてきた。

　彼らは本当に純粋だったか。彼らは自分の持っている力量の測り方を間違っていなかったのか。山での死は決して美しいものではないし、「ロマン」という言葉の意味を抹消してしまうほどである。だからといって、アルパイン・クライマーは死を完全に取り去ることはできないし、その必要性もないと思う。世の中では安全登山ばかりを叫ぶが、本当に死にたくないならば登らない方がよい。登るという行為は、厳しい自然に立ち向かい挑戦することなのだから、常に死の香りが漂うのだ。多くの知人の死は、クライミング自体に一瞬の疑問を持たせたことも事実だが、それにもまして彼らが亡くなるまでの、あの輝きながら登る姿も忘れることはできない。平凡な日常の生活のなかからでは生まれない輝きだった。

　世界のビッグウォールを目指し、高校を中退してまで登っていた青沼雅秀さんは、一人黙々と重い登山靴をはいて常盤橋公園でトレーニングしていた。あの時代、僕よりも完全にレベルの高いテクニックと精神力をもち、クライマーとしてほぼ完成しつつあった中嶋正宏さん。寡黙ながら内に秘めた闘志は人一倍で、ヨセミテのエル・キャピタン挑戦に向け、キャンプ場で入念に準備する姿が印象的だった阿部剛さん。良き仕事仲間でいつも笑い、死などまったく感じさせないキャラクターだった谷口龍二さん。そのほかにも忘れることができないたくさんの知り合いが、山で亡くなってしまった。彼らはまだまだ満足していなかったことは明らかだし、もっと高い所へ登りたかっただろう。しかし、彼らは誰よりも輝いていた。彼らが何かのミスを犯したことは確かだが、僕を含め誰も批判はできないだろう。美しい山や岩に理想と夢を追い、肉体と精神の限界で闘うクライミング、また時には死ぬことさえあるクライミング。こうした行為を正確に伝えようとする試みは、いつも僕を悩ませ、前進することをも躊躇させる。

ヒマラヤ最後の課題と言われた一九九六年のマカルー西壁と九八年のマナスル北西壁で、僕はいろいろな誤りを犯し、また危うく命さえも失いそうになった。

マカルーはエベレストの二〇キロ南東にある。この山は標高差二七〇〇メートルの未踏の西壁をもち、八四六三メートルと標高もとても高く、ヒマラヤのビッグ五に含まれている独立峰だ。西壁は、七八〇〇メートルから頂上まで垂直からオーバーハングしており、八〇〇〇メートルの標高でVI級以上の登攀を要求され、伝統

ヒマラヤ最後の課題と言われる
マカルー西壁

的な戦術で挑んでも容易でないことがわかる。

一九八一年、アルパイン・クライミング界のカリスマ的存在、ポーランドのヴォイテク・クルティカと同じくポーランドのイェジ・ククチカ、そして熱狂的にアルパイン・スタイルに固執するイギリスの若者、アレックス・マッキンタイアの最強パーティが西壁に挑んだ。しかし、その彼らをしても、七八〇〇メートルから上部は、一日以上かけても四〇メートルしか進めず、撤退した。それ以降もいくつかの強力なパーティが挑戦したものの、七八〇〇メートルを越える者はいなかった。

一九九六年、僕はヒマラヤ最後の課題マカルー西壁に挑んだ。

九月二十四日、六七〇〇メートルのオーバーハングした岩の基部に設置したテントの中で、僕は完全に怯えていた。小さな一人用のテントは、上部からのチリ雪崩で三割がた埋められている。分厚い下着にフリース、さらに高所用のダウンスーツを着こんでいるのに、体は冷え切り、ガタガタと震えていた。どうあがいても頂上に行くことはできない。難しすぎる。体調も今までのヒマラヤ・クライミングと違って良い状態とは言えず、脈拍は高いし、常に寒さを感じる。これから僕を待っているのは一〇〇〇メートル以上の青光りした氷壁にオーバーハングした五〇〇メートルの弱点の少ない岩壁。それも酸素が薄くなる七〇〇〇メートルの高度から現われるのだ。

悲しみがこみ上げる。ため息とともとれる冷たい呼吸。思わず涙が出そうになる。空には青白い月が冷たく光り、温もりをまったく感じさせてくれない。手にするすべてが冷たく、小さな雪崩の音しか聞こえない世界。すべてが絶望的だ。それでも多くの人に無様な敗退を見られたくないと、どこかで思っていた。

今回の登山を含め、日本での生活およびトレーニングの様子をテレビ局が撮影していた。初めて自分のクライミングを他人に見せることに決めたわけだ。極限に挑むアルピニストの姿を映像で伝えたいと、長い間、願っていたと思う。一般の人々が、エベレスト登山や七大陸最高峰登頂ばかりの片寄った情報を受けている現状をどこかで変えたいと思っていた。と同時に、アルピニストは本来、もっと孤独で精神性の高い行動をするべきで、神秘的で困難な山に挑戦するのが本当の姿だと思っていたし、それを伝える必要性も感じていた。

TBSディレクターの武石浩明さんから撮影の話がきたとき、これはいい機会だと思い承諾した。ただ条件として、マカルーのクライミングは、僕のプライベートな登攀だけに、一切お金の援助は受けたくないし、アタックするか止めるかはすべて僕自身の判断で決めることを了解してもらった。コンディションによっては、山を見ただけで中止することもあり得るわけだ。しかし、現実にはいつもの自分とは明らかに違い、カメラを意識していたのだった。

九月上旬、五三〇〇メートルにベースキャンプを設置した。その時点で、この壁は自分の技術では無理だと、どこかで感じていた。ここに来るまで、日本ではこれ以上ないくらい研究し、あらゆることを想定してトレーニングを積み、心理面でも耐えられるくらい多くのソロを経験し、すべてが完璧なはずだった。

しかし、自然は、常に人間を裏切るくらい大きく偉大だった。耐えがたいほどの標高差があり、すっぱり切れ落ちた壁と、灰色で不気味なオーバーハングしたヘッドウォールを見ていると、体は固まり、あの壁を登っている自分をイメージできない。西稜の稜線八一〇〇メートルに抜けたとしても、頂までの標高差三〇〇メートルに体力はもたないだろう。たとえ、頂に立てた場合でもやさしい下降路はない。

九月二十一日午後、訪れてほしくない出発の時間は刻一刻と迫り、僕は不安を隠しきれず、動作は鈍くなり目の焦点は定まらない。何度も空を見上げながら無駄な動作を繰り返す。天候が崩れてくれたらとさえ思ってしまう。夢も希望も薄れた状況で、アルパイン・スタイルにしては重すぎるザックを担いで立ち上がった。今でも忘れられない出発の辛さ。登り出せば、いつものようにうまくやれるのではないかというわずかな期待。

「長年繰り返されてきたアタックと何も変わらないぞ」と、自分自身に思い込ませ、歩き出した。まるで自分の体ではないような動き。

いつもよりも強く登れないかもしれない、生きて帰れないかもしれないと、心は重く沈んでいた。

「異常に興奮したみんなと別れるとき、涙が出そうになった。歩いているとき、はらわたが腐ってしまったのではないかと思うほど苦しかった」と日記に書いた。

一回目のアタックは八〇〇〇メートル上空にゆっくりと雲が湧き出たため、急遽、中止した。普段なら、山に少しでも接近すれば、その時点で少しずつ壁に慣れていくはずだが、恐怖と不安と悲しみが全身を覆い、身動きできなくなるくらい苦しみを感じている。僕にはもともと無理だったのでは……。

二十四日、二回目のアタックに出る。前回とまったく変わらないマカルーに対する感覚。成功する可能性の少ないままの出発。自分の中ではすでに頂を諦めていたかもしれない。しかし、登らないわけにはいかなかった。彼らのためだったか自分のためだったか、それともマカルー西壁の神秘的な輝きに誘われたからか――。

このときの気持ちを冷静に分析すれば、今回は、いつもより成功という結果を強く求めていたかもしれない。マカルー西壁こそ、地球上に残された最高級のアルパイン・クライミングの課題だと、当時は確信していたし、長年、そこを登れるくらいのクライマーに成長したいと思っていた。もしも、この西壁を無事に登れたら、今までのように死にものぐるいで上ばかりを目指さず、少し落ち着いてクライミングを楽しみたいと思うようになっていた。僕は、そろそろ最高度の登攀に決着をつけ、リラックスした生活を送りたいと願うようになり始めていたのかもしれない。

粉雪が舞い、太陽の光で暖められた雪面にときどき腰までのラッセルになった。六五〇〇メートルを越え、酸素の薄さを感じ、足腰に乳酸が溜り始めたころ、いつものように山との一体感が得られたような気はしたが、夜空に浮かび上がる巨大なヘッドウォールを見上げると、また自分の情けない力と心は無理をしても無駄だと言い始める。

六七〇〇メートルに設置した一人用テントに入り、コンロに火を点け、雪を溶かす。すでに深夜になり、また薄い雲が出始めた。ヘッドランプで青い炎を見つめているとき、葛藤は最高潮に達していた。

僕は、七八〇〇メートルから上部のヘッドウォールを登るテクニックをやはりもっていないのではないか。このまま前進すると死ぬのではないか。また、いつものように雪や岩がよく見えず、山に飲み込まれている。無線機を握りしめながら、いつベースキャンプに、マカルーを諦め下山することを伝えるかタイミングを計っているようだ。

その一方、もう一人の自分は、まだ何も挑戦してみたわけではない、やれるところまでやれ。この壁は誰も登ったことのないすごい壁だ。登ったら、世界一になるぞ、と心の中で叫んでいた。僕が頂上に立つことを期待して、わざわざ日本からテレビのスタッフが五人も来て、今か今かと核心部に向かう僕にカメラを向けている。このまま諦めてしまっていいのか。

次第に大きくなる、ひっきりなしに襲うチリ雪崩はテントを半分埋め、その中で薄いシュラフにくるまり、震えながら混乱する自分がいた。

太陽が沈み、暗くなるころ、予定どおりヘッドランプを点け、再び核心部を目指し登り始めた。

夜八時、標高七三〇〇メートル地点を登攀中、今まで経験したことのない、強く深い衝撃が頭に加わった。後頭部から背中にかけて、次第に痺れはじめ、腕の力が抜けバランスを崩し、墜落するところだった。何が起きたのかは、過去の経験でわかっている。ヘルメットに石が直撃したのだ。二度と当たることはないだろうと、雪面にピッケルとアイスバイルを深く突き刺し、それにしがみつき、雪に顔をこすりつけながら、もう十分だ、どうにもならないと思い涙をこぼした。カーボン製ヘルメットのひび割れた箇所から風が入り込み、頭が冷える。

吐き気に襲われながら、おもむろにすべてを諦める決心をした。

「注意しろ、意識をはっきり持て」

マカルー西壁を慎重に下降しながら、親しくなったテレビスタッフ達の顔が一人ひとり浮かんだ。彼らに何と言えばいいのか考え、本当のアルピニストの姿を見せたいと願ってこの撮影を承諾したものの、何も伝えられなかったのではないかと思い、まだまだ六十五度以上の傾斜がある氷雪壁を下降しながらも、重くなった心は

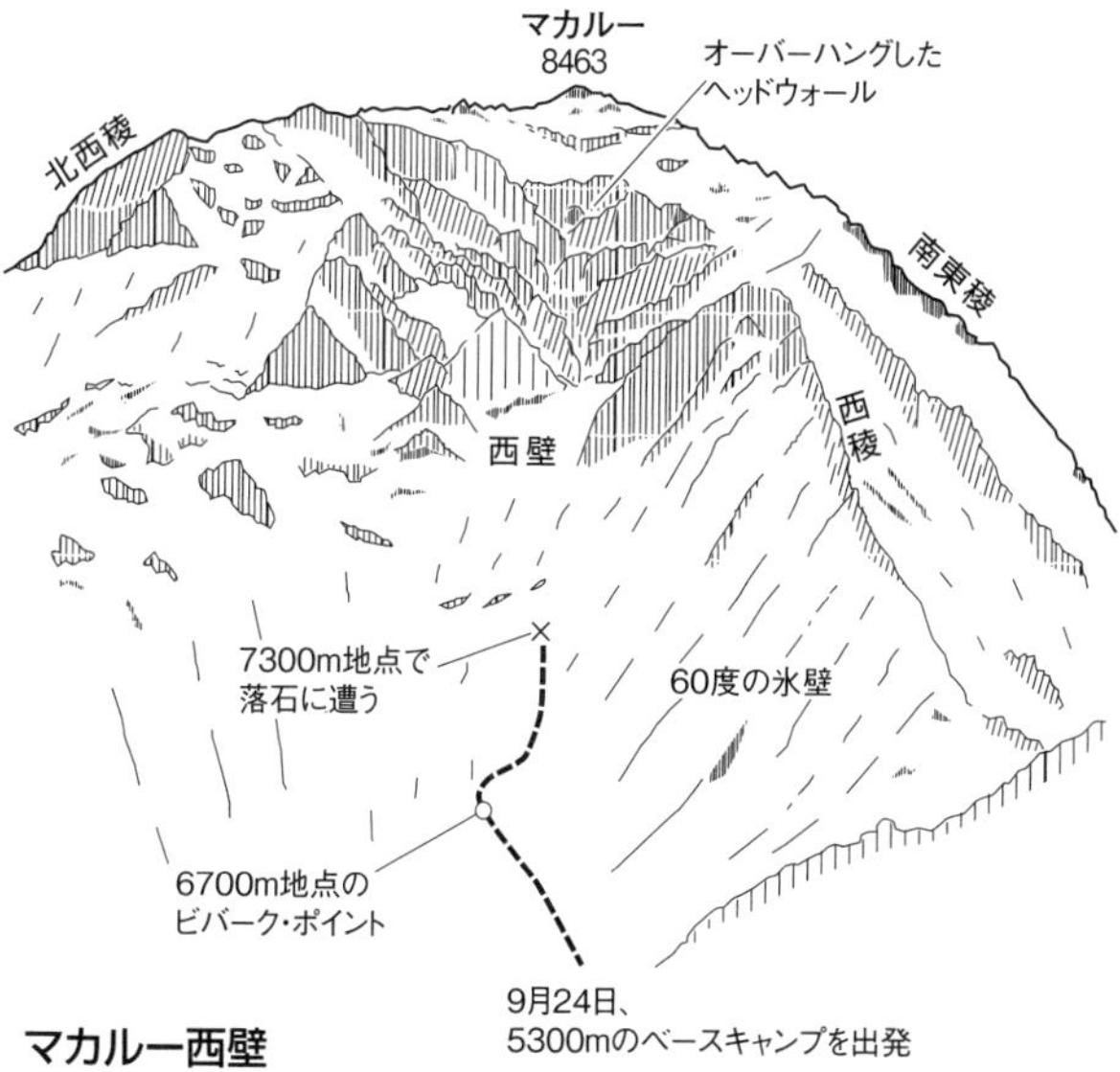
マカルー
8463
オーバーハングした
ヘッドウォール
北西稜
南東稜
西稜
西壁
7300m地点で
落石に遭う
60度の氷壁
6700m地点の
ビバーク・ポイント
9月24日、
5300mのベースキャンプを出発

マカルー西壁

マカルーから完全に離れていった。脱力感と何も希望のない心は、今まで登り続けてきた数々の登攀すべてを否定するくらい山を拒否していた。結局、マカルーに何をしに来たんだ。何も得られなかったのではないだろうか。数時間後、氷河に下り立ち、埃っぽいサイドモレーンの道を歩くが、視点が定まらないままに、ベースキャンプに戻る自分がいた。

七年前、まったく同じ感覚を、パタゴニアのフィッツロイを諦めベースキャンプに戻るとき味わっている。お金を使い、はるばる地球の裏まで何をしに来たんだ……。

一九八九年七月、パタゴニア。フィッツロイ冬季単独登攀を目指してやってきた。日照時間もわずか、気温はマイナス三十度まで下がる日もあった。気圧計の針はいつも下がりっぱなしで動かず、暗く湿っぽい隙間だらけの小屋でたった一人、何十日も晴天が訪れるのを待っていた。フィッツロイはときどき、強風で切れる雲の間から姿を現わすが、雪が付着した花崗岩の岩峰は僕の能力では解決できないくらい美しく高く聳えていた。小屋の中で、このまま晴れなくてもいい、取り付いても登れやしないと感じていた。それでもわずかな晴れ間を利用して二度のアタックに出た。一度は気持ちが集中していないのにもかかわらず、ミックス壁を登り、イタリアン・コルを越えて南西岩稜に取り付き、目も粗くグレードも高いクラックを一〇ピッチほど登ったが、やはり甘くはなかった。突然訪れたジェット気流のような風は僕を吹き飛ばすばかりで、ロープもまん丸に凍りつき、必死の退却だった。

小屋まで三時間ほど手前で、ふたたび天候は回復に向かい、気圧計も急上昇。今度こそ晴天期間に入ったのがわかった。今から戻れば頂に立てるかもしれない。でももういい、十分だ。僕を何度も苦しめないでくれ、この孤独も耐えられない。太陽の光が当たり、キラキラした雪原のど真ん中で「くそっー！」と何度も叫んだ。この悔しさは、天候に対して出たものではなかった。山に戻れない自分自身に対してだ。僕はここまで何をやりたくて来たんだ。心の中で叫んでいた。

マカルーの敗退はとてもよく似ていた。唯一違うのは、フィッツロイでは、翌年、鍛えなおし、登攀に成功したが、マカルーは完全に山の困難度と自分の技術の測り方を間違えただけに、しばらくは挑戦できないくらい打ちのめされた。それに加え、自分の登りをどこかで見せたいという気持ち。マカルー遠征ではフィッツロイ以上に複雑で、悲しいベースキャンプまでの下山となってしまった。

小さな盆地に設営されたいくつかのテントの横で、テレビ局のカメラは敗退した僕を撮影している。彼らのその目には、登れなかったことへの落胆と同情が混じっていたのを、僕は見逃すことができなかった。

2

マナスルのミスは、外的な危険を動物的な感覚がすでに察知していたにもかかわらず、新ルートへの野心が冷静な判断を鈍らせたものだ。いつも、山へ入れば無意識のうちに集中し、山に合わせた行動ができると自負していたのに……。常に、山からの警告は大切にしなければならない。

マナスル、八一六三メートルの北西壁はあまり人目に触れることなく、未踏であった。一九九八年秋、初めて妙子と二人だけでヒマラヤのジャイアンツに挑むことにした。

モンスーン中のキャラバンは大雨が降り続き、深い樹林帯は足下の土がぬかるみ、ハイキングシューズの中はびしょびしょに濡れたが、道なき道を鉈で切り開きながら進むことは野生動物に戻れたようで開放された気分になる。僕達はベースキャンプをどこに設置するかなどをあまり考えず、十五人ほどのポーターを引き連れ、ひたすら上を目指し、小川に橋を架け、時にはブッシュに突入した。

マナスルはネパール・ヒマラヤのなかでも天候が安定しないことで有名なうえ、北西面から西面にかけてエベレストのアイスフォールのような悪い氷河が頂への道をズタズタにし、困難にしている。これからの登山を暗示させるどんより厚い雲に覆われた日、八〇〇〇メートルを狙うには標高の低い三七〇〇メートルにベースキャンプを置いた。

セラックの崩壊を聞くたびに、自分たちのルートを考える。本当にあれでいいのか……。しかし、北西壁のなかで頂上に立てるとしたらあそこしかなかった。長大な北西壁は特に中央部が雪崩の脅威にさらされており、高さ数メートルもあるセラックが広い雪の斜面にいくつもひっかかっている。二人ともいやな感じをもちながら進むしかなかった。

日本での冗談のような会話が思い出される。ライターの丸山直樹氏とは、僕が「マナスルで遭難死したほうが、『ソロ』（丸山さんが僕のことを書いたノンフィク

0 1 2 3 4km
N
ラルキャ・ラ
ラルキャ・バザール
ビムタン
パンプーチ
ナイケ・ピーク
北峰
7157
サマ
ドゥド・コシ
ドナン・コーラ
マナスル氷河
ブリ・ガンダキ
東稜
プラトー
プンギ
ピナクル
8163
マナスル
プンゲン氷河
ドバン・コーラ
ピーク29
7871
ラニ・ピーク

ション）は売れるかもしれませんね」と話し、日本ヒマラヤ協会の野沢井歩さんとの電話では「十二月五日の講演については、生きて帰ることができたらお受けします」と話していた。

取り付いて四時間。この斜面が危険であることはすぐにわかり、そのうえ新月のためルートの見極めは難しく、神経はピリピリしていた。

「ちょっといやな感じがする。ロープを結ぼう」

そんな時、悪夢のような出来事が始まった。

午前一時、標高六一〇〇メートル付近を登高中のことだ。上部で「ドーン」とセラックの崩壊らしき音。闇の中から音が急に強さを増してきた。逃げるのは不可能と感じた僕は、妙子に「構えろ！　構えるんだ！」。それだけを叫び、自分もアイスバイルを雪面に叩き込む。

その一、二秒後、すさまじい力をもった雪と氷塊が体に当たった瞬間、僕は飛んだ。グチャグチャに揉まれながら巨大なセラックを二度飛び越え、空中も飛んだが衝撃はなく、ただ右足首が捻れるのを感じた。上下左右もわからず、まるで激流に飲み込まれたようで、雪崩の力に抵抗することはまったく不可能だった。目に見えるものといえば、黒と白のモノトーンの映像のみ。自然の脅威にさらされていたが、なぜか冷静に、雪崩で死んでいく自分がわかった。妙子は僕を止められないだろう。下にあるクレバス帯に二人とも叩き込まれるだろう、と。一瞬、何もかもが停止したとき、すでに僕は死んでいると思った。

体が止まったと気がついたときは、コンクリートのような雪と氷が全身を覆い、腕、足、頭、いずれも動かすことのできない闇だった。生き埋めになった自分の体がどのような姿勢でどのくらい雪面の下にあるのか。一メートル下か、それとも二メートル下か、今の自分に何ができるか――。どんなに体に力を入れても動かなかった。顔の前にあるわずかに動く中指で、口の前にエアポケットを作るが、喉の奥に氷が詰まっていて、すでに呼吸困難に陥っていた。

「一分……、二分……」

生きたまま棺桶に入れられるような強烈な恐怖感が襲い、初めて僕は死んでいくことがこんなに恐ろしいことだと理解した。数分後、ここが僕の墓になるんだと考えたら気が狂いそうだったが、むしろ狂ったほうが安楽死への道ではないかとも思えた。僕がここに残ることを望んでいるかのように、体はまったく動かない。意識

あまり人目にふれることのない、
未踏のマナスル北西壁

が薄れていくなか、こんな馬鹿げたことを考えていた。

間もなく呼吸が停止し、永遠の眠りに向かい、体は冷たくなるだろう。しかし、何分か後に妙子が掘り出してくれ、人工呼吸によって生き返らせてくれるのではないか。あるいは、あと十時間、この雪の中で意識を失わずに耐えられれば、太陽が雪をゆるめ、体を動かすことができるのではないか。

「妙子、妙子、助けてくれ！」

声になったかわからない。心臓に力がなくなっていくのがわかる。


ずいぶん長く流されたようだ。

途中二回ほど空中を飛んだ気もするが、止まった。体はほとんど埋まっておらず、ありがたいことにどこも痛くない。私の両手のピッケル、アイスバイル、背中のザック、そして頭に着けているヘッドランプ、何も失っていない。泰史はどこだろう。

「泰史、泰史」

何度も繰り返すが応えはない。

真っ暗ななか、ヘッドランプの光だけを頼りにロープをたぐっていくが、すぐに雪の中に埋もれ、ビクッとも動かなくなってしまった。泰史を呼ぶ声が次第に大きくなり、焦り始めたころ、わずかに声が聞こえた。

「妙子、妙子、助けてくれ！」

声に近づいていく。ここだ。ピッケルで掘り出す。三〇センチくらい掘ると頭の先が見えた。ピッケルを捨て手で掘るが、グローブがじゃまになり、すぐ素手になってどんどん掘る。手の感覚がなくなっていることや、次に来るかもしれない雪崩のことは気にしていられない。心臓がバクバクする。荒い呼吸のために胸が痛くなってくるが、休むことはできない。

時間にして五分くらいたっただろうか——。

やっと泰史の顔を掘り出せたころには、私は死にそうなくらい苦しくて口もきけないほどだった。泰史は本当に死の寸前までいっていた。　（妙子記）

二度目の雪崩が来たら、本当に今度こそダメだろう。縦に埋まっていた体を引き出すのは簡単なことではなく、片手ずつ掘り出さなければ雪から抜け出せない。

妙子が僕を掘り出せたのは奇跡に近かった。雪崩で一緒に飛ばされながらも、彼女はそれほど埋まらず、ピッケルもヘッドランプも失っていなかった。それに雪崩に巻き込まれる十五分前にロープを結び合っていたおかげで、僕が埋まっている場所が特定できたのだ。あと一、二分遅かったら、呼吸が停止したのは確かだ。

雪面に体を横たえる。ガタガタ震え、低体温症のようにいまにも心臓が止まりそうで辛い。生きていてよかった。そのことしか頭に浮かばなかった。もはやこの北西壁に対してなんの未練もなかった。足首を痛めたようだが、ここから下りなければならない。妙子も膝を痛めていた。二人とも足を引きずりながら必死に闇の中を下り続けた。

「助かったな」

「私も死ぬと思った。本当に怖かった」

氷河上五五〇〇メートルに残しておいたテントに戻り、数時間、休んだ。太陽が昇り、明るくなった。そのテント場から見える雪崩のすさまじさに僕達は改めて驚いた。何かが爆発したあとのような状態で、無数の巨大な青氷が散乱しており、常識では生きて帰れるはずのない光景だった。

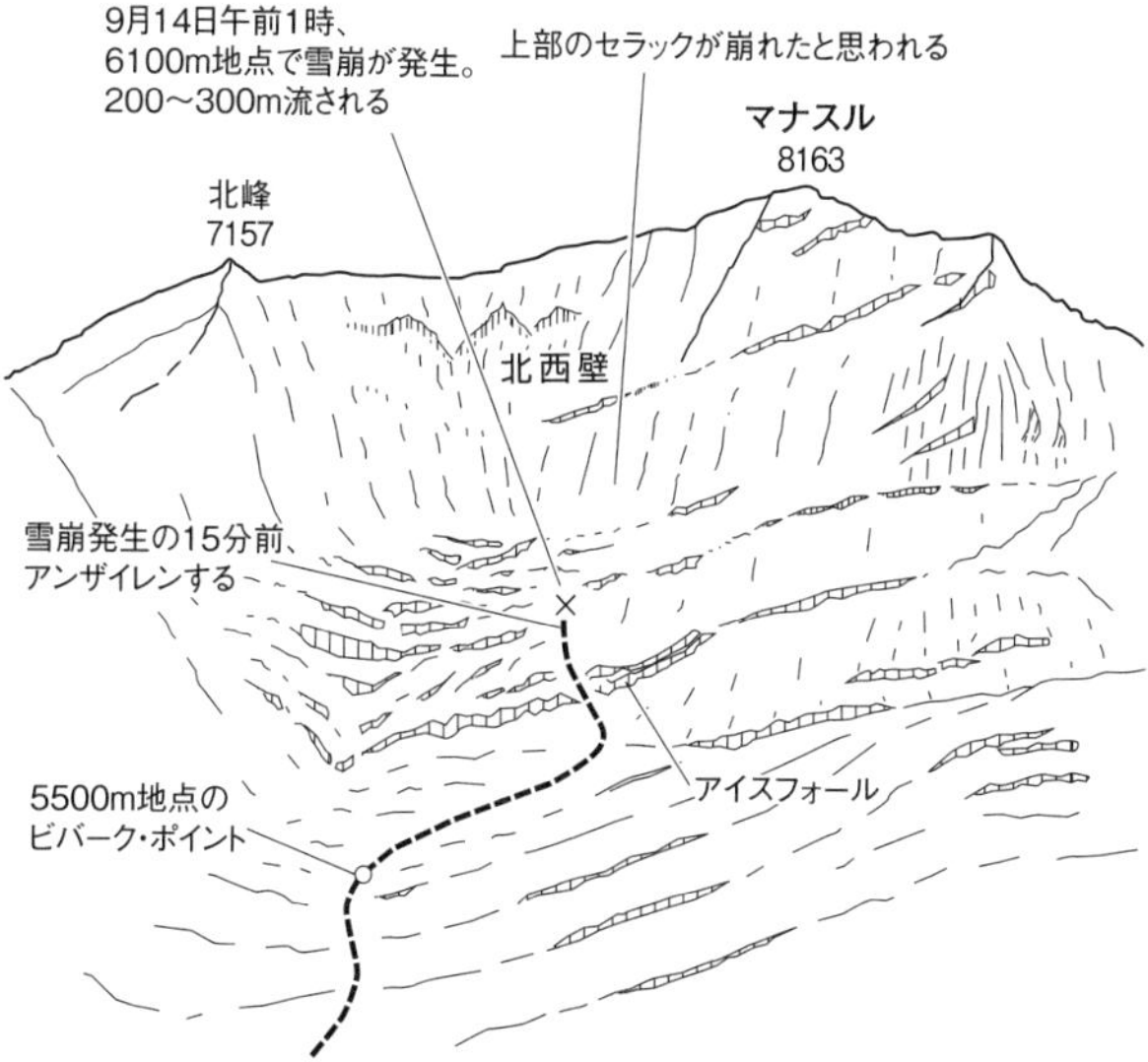
9月14日午前1時、
6100m地点で雪崩が発生。
200〜300m流される
上部のセラックが崩れたと思われる
マナスル
8163
北峰
7157
北西壁
雪崩発生の15分前、
アンザイレンする
アイスフォール
5500m地点の
ビバーク・ポイント

マナスル北西壁

アルパイン・クライミングが死と隣り合わせだということは十分理解していたし、山を始めて二十年、自分が悪い状況に追い込まれても、ある程度の覚悟はもっているつもりだった。しかし、僕は死について考えていただろうか。もちろん自分の遭難死についても。

ベースキャンプ出発前、たまたま十六年前のチョゴリ（K2）北稜登山隊のレポートを見ていた。そこには十五人の名前が出ているが、そのうちこれまでに、七人もの人が山で死んでいる。それを読んでも、深く感じない自分がいた。また世界に名をはせたクライマーたちの半分近くが、山のなかで何らかの死を迎えている現状についても知っていた。僕は山での死を決して敗北とは思わないし、生死の境を切り抜け生還したときこそ、「生きている」という強烈な感情が湧き上がることも知っている。

しかし、マナスルでの事故は話が違う。あんなに恐ろしく、無数のセラックが立ちはだかる氷雪壁に挑戦するのは自殺行為に等しかった。マナスル北西壁を見た瞬間に止めればよかった。二人で三百万円近く使ってしまったので、少しは登らなくてはと思ったことは事実だし、何よりも未踏の巨峰に対する汚い野心が、僕を上に向け登らせてしまった。マナスルが僕達を痛めつけようとしたのではなく、僕がミスを犯しただけなのである。

今は思う。レベルの高い登攀を成功させることは確かに魅力的であるが、死はクライミングに失敗することよりずっと敗北なのだ。二十四時間、次はどこを登るかと考えている僕の山への情熱も本当に正しいのか疑問ではあるが、それでも自分のクライミングを信じて、これからも登っていこう。クライマーの生死は、大自然が決定するのではなく、クライマー自身が決めているのだと肝に銘じながら……。

ベースキャンプを後にした僕達は、今にも雨が降り出しそうな空の下、足をひきずり、ときどき路傍の石の上で休みながら歩いた。左足首は丸く膨れ上がり、テーピングもはち切れんばかり。深い竹藪を突き進むが、左足先は一定の方向を向いてくれず、激痛が走る。それでもどこかでリラックスし、一歩一歩、足に力を入れ、汗をかきながら下山していると、体の奥から喜びが溢れてきた。あまりにも単純だが、ただ生きているという喜びだ。どこまでも歩いていきたい。気分は信じられないくらいに軽く、まるで大きな登攀に成功したときと同じように、晴ればれとした気持ちで体全体が喜びに満ち溢れている。日焼けした肌はヒマラヤの空気にぴたりと合い、体は森や川などの自然とのバランスも取り戻してきた。鼻の奥まで広がる土と草の香りは、僕にエネルギーを与えてくれた。

一カ月前に通っただろう見覚えのある雑木林に入ると、広葉樹の太い根っこが僕達のためのひと時のベンチのように伸びている。時には何分も休み、今夜あたり着けるだろう下の小さな村のリンゴを思った。「下山するころにはたくさん実っているよ」と、村人は言っていた。果物の酸味は明日以降の活力を与えてくれるだろう。

森を抜けると天国へ出た。雲の間から顔を出した太陽が、鮮やかなピンク色をしたソバ畑の絨毯を照らしていた。これほど花を美しいと思ったことがこれまでの人生であっただろうか。座り込み、顔を近づけ、花をひとつひとつよく見ると、小さな昆虫がとてもかわいらしく歩き回ったり飛んだりしている。ここではすべてが生きていた。意味など考えずに、懸命に生きている。何だかわからないけれど嬉しく感じ、僕は再び立ち上がると足をひきずりながら歩き始めた。

山で死んでも許される登山家　死

僕は幼いときからほかの子どもよりも死を意識していたかもしれない。「人生は、そんなに長くはないんだ。明日があるとも限らない」そんなことを漠然と考えている少年だったように思う。だからこそ、何かに情熱を傾けて生きていかなければいけないと考えていた。そしてクライミングに出会った。

成人になると、ますます「残りの人生を楽しまなければいけない」という気持ちは強くなり、世間体を気にせず見栄も張らず、自分の本当にやりたいことを全力で追求していこうと思うようになっていった。そんななかで、多くの友人が山で死んでいった。確かに彼らにもう会えないのは寂しいが、彼らの生き方を思うとき、深い悲しみに陥ることはない。むしろ温かさを感じる。彼らもどこかで死を意識していたからこそ、あの輝きが生まれたのだろう。

僕は計画の段階では死を恐れない。しかし、山に行くと極端に死を恐れはじめる。

なぜ、誰にも必ず訪れる死を恐れるのだろう。

この世に未練があるから恐いのか、死ぬ前にあるだろう痛みが恐いのか、存在そのものがなくなる恐怖なのか——。しかし、クライミングでは死への恐怖も重要な要素であるように思える。

「不死身だったら登らない。どうがんばっても自然には勝てないから登るのだ」

僕は、日常で死を感じないならば生きる意味は半減するし、登るという行為への魅力も半減するだろうと思う。

いつの日か、僕は山で死ぬかもしれない。死ぬ直前、僕は決して悔やむことはないだろう。一般的には「山は逃げない」と言われるが、チャンスは何度も訪れないし、やはり逃げていくものだと思う。だからこそ、年をとったらできない、今しかできないことを、激しく、そして全力で挑戦してきたつもりだ。

かりに僕が山で、どんな悲惨な死に方をしても、決して悲しんでほしくないし、また非難してもらいたくもない。登山家は、山で死んではいけないような風潮があるが、山で死んでもよい人間もいる。そのうちの一人が、多分、僕だと思う。これは、僕に許された最高の贅沢かもしれない。

僕だって長く生きていたい。友人と会話したり、映画を見たり、おいしいものを食べたりしたい。こうして平凡に生きていても幸せを感じられるかもしれないが、しかし、いつかは満足できなくなるだろう。

ある日、突然、山での死が訪れるかもしれない。それについて、僕は覚悟ができている。

第六章　夢の実現

K2南南東リブ

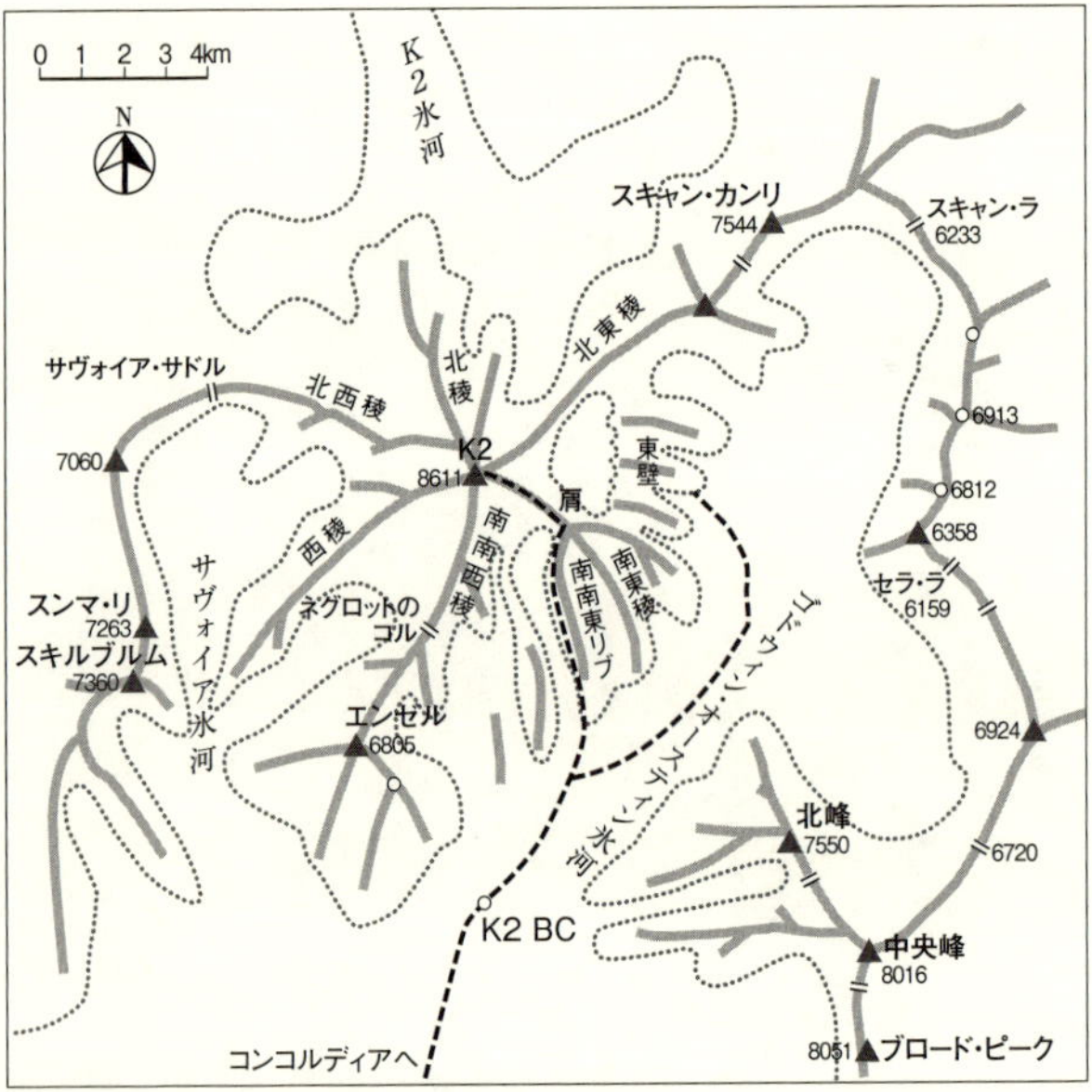
0 1 2 3 4km
N
K2氷河
スキャン・カンリ
7544
スキャン・ラ
6233
北東稜
北稜
サヴォイア・サドル
北西稜
K2
8611
7060
東壁
肩
西稜
南南西稜
南南東リブ
南東稜
6913
6812
6358
セラ・ラ
6159
サヴォイア氷河
スンマ・リ
7263
スキルブルム
7360
ネグロットのコル
ゴドウィン・オースティン氷河
エンセル
6805
6924
北峰
7550
6720
K2 BC
中央峰
8016
8051
ブロード・ピーク
コンコルディアへ

1

ついに行くぞ、K2に――。山のなかの山。世界でもっとも難しい山。僕は興奮を抑えきれない。

一九九一年、ブロード・ピーク遠征のときに見たコンコルディアからの光景を、今でも忘れない。氷河を登りつめていくと、左の稜線の陰から徐々に顔を出してきたK2の頂。こんな素晴らしい山がこの世にあったのか。均整がとれ、青空高くそびえ立っている。息をするのも忘れるとは、このことだろう。呆然と立ちつくしてしまった。人間はあんなに遠い頂まで本当に登れるのだろうか。クライマーにとって本当の聖地とはK2、そしてその頂ではないかとさえ思ってしまった。

ブロード・ピークの頂に首尾よく立った日のことも忘れない。僕は疲れ果て、座り込み、酸欠のため思考能力はかなり落ちていたが、幸せいっぱいな時間を過ごしていた。しばらくしてこれから下山すべき方角を見ると、あのK2の頂が、僕を見下ろすかのようにそびえ立っている。八〇四七メートルの頂から見ても、さらにK2は高く、険しい。いつかは登ってみたい。でも、そのときはまだ無理だなと思っていたことを記憶している。

一九九九年の十月、ネパールはナムチェ・バザールの小綺麗なバッティの中、ポーランド人クライマー、ヴォイテク・クルティカと二人で対岸の滝を眺めていた。その部屋ではほかに二組のトレッカーが、明日の予定を紅茶を飲みながら話している。僕達は、数日前、ある六〇〇〇メートル峰の北壁が登れずに下山してきたばかりだったが、こんな敗退があることを二人とも長い経験で知っている。

「ヴォイテク、向こうに見える滝を冬にアイス・クライミングしているんだろう」

「素晴らしいクライミングだったし、下降中のビバークは自分が体験したなかでもっとも刺激的だった。ところで泰史、来年はどうするんだ」

「もちろん、どこかに行くよ」

「また一緒に行かないか」

ヴォイテクに再びパートナーとして選んでもらい、嬉しいかぎりだ。

「たとえば、どんな山?」

「ウリビアホやラトックの岩壁はどうだ。いいルートがたくさんとれるぞ」

「ウリビアホは、最近、アプローチが危険だと聞いているし、次は高所に行きたいと思っている。いま少し考えているのは、K2とナンガ・パルバットかな」

「ナンガ・パルバットのマゼノ・リッジはよい課題だと思う。K2西壁と東壁も大きいぞ」

これらはすべて、彼が以前に挑戦したルートだ。

「可能性はあるの」

「マゼノ・リッジは天候が悪化したときの敗退が困難になるかな。K2西壁はアルパイン・スタイルではかなり難しく、可能性はとても少ない」

最終的な結論が出ないままナムチェ・バザールで別れ、ヴォイテクはポーランドに戻り、僕は未踏峰テンカンプチを見に、ターメに向けて一人歩き出した。

徐々に大きくなるクワンデ北壁を見ながらも、頭の中は来年の山でいっぱいになった。やはりK2に行こう。写真でもまだ見ていないK2東壁を思い描き、ヴォイテク・クルティカの三度にわたるK2西壁への挑戦も考えていた。

「もっとも尊敬するクライマーは」と聞かれれば、必ずヴォイテク・クルティカの名をあげるだろう。ヴォイテク・クルティカや、やはり素晴らしいクライマー、アレックス・マッキンタイアらに共通しているのは、大遠征から離れ、コマーシャリズムを排し、気の合う小グループで大胆な登攀を成功させている点である。僕は彼らのスタイルをいつも思い、妥協せず登りつづけてきたつもりだ。ただ一点違うのは、彼らにはいつも有能なパートナーがいたが、僕は単独登攀が多かった。

今年一緒に登ったそのヴォイテク・クルティカは、一九七八年、インドの、どこから登っても手強いチャンガバンの南バットレスを仲間四人で登攀し、二年後にはダウラギリの大氷雪壁、東壁をイギリス、フランスのトップクライマーと登った。それ以後も歴史に残る偉大な登攀は続く。すなわち、ブロード・ピーク縦走、ガッシャブルムⅣ峰西壁、トランゴ・タワー、チョ・オユー南西壁、シシャパンマ南壁と成功させ、世界中のアルパイン・クライマーを興奮させ、また支持も得てきた。

哲学的な表情からは考えられないユーモアを言ったりして、相手を和ませるが、この人間の奥底に常に持っている渇望までは僕にはわからない。ときどき目を細めながら壁の写真を見る表情からは、常に冒険を必要としていることは読みとれる。アルパイン・クライマーが生きていくうえには、死の香りと冒険は必要不可欠のようだ。

十一月、帰国すると同時に、ポーランドと日本の間で何度も電話とファックスのやりとりが行なわれ、具体的な計画ができあがってきた。六月から七月にかけ、世界第二の高峰、八六一一メートルのK2を狙う。目指すのは未踏の東壁。ウィンディ・ギャップに行き、高所順応した後、二人だけでアタックする。ロープの長さは、アイススクリューの数は、登攀中何を食べるか、そのほか、問題も山積みだが、登山料一万二〇〇〇ドルはスポンサーを持たない二人にはもっとも大きな問題になった。

ネパール政府が登山料を値上げすると、パキスタンも値上げする。この数年、これが繰り返され、資金の捻出は、少人数のチームにとって頭が痛く、登攀のタクティクスと同様にクライマーを悩ませる。クライマーのなかには企業とうまくつき合い、F1レーサーのようにウエアに企業のロゴマークをたくさん貼り付け、カメラに向けてポーズをとり、あらゆる手段を講じ、頂に立つことだけが目的のように登る者もいる。なぜなら、企業は必ず見返りとなる山頂の写真をほしがるからだ。それでもよいクライマーがいるのだろうか……。それではあまりにも悲しいと思う。クライマーは常に何を見出したいのか、本当に何をやりたいのか忘れてはいけないと思う。

十一月末になると妻の妙子、飛田和夫もＫ２南南東リブに行くことを決め、僕とヴォイテク、妙子と飛田のツー・ペアに友人である寺沢玲子がベースキャンプ・マネージャー兼隊長となり、パキスタン観光省に申請した。僕たちＫ２登山隊は、ルートから挑戦することになり、登山料は二万四〇〇〇ドルまで膨れ上がってしまったが、多くの親しい友人や知人が僕たちの夢にお金を出してくれたことは感謝しなければならない。しかし、Ｋ２挑戦の最中、どんな状況になろうとも、決して寄付してくれた人々の顔を心の中で浮かべてはならない。山に集中し、山と体のコンディション、そして天候がすべてを決定づけ、自分の本能に素直にならなくては、登頂はおろか、無事に下山できなくなるからだ。

二〇〇〇年六月、僕、妙子、寺沢、飛田の四人は、鹿児島の国立鹿屋体育大学にいた。小さな殺風景な部屋の中、白い壁を見つめながらランニングマシンの上で走る。頭の芯が少し痺れ、わずかながら視野狭窄が始まっている。左手人差し指に着けられたパルスオキシメーター（ＳＰＯ２）は酸素飽和濃度六十五を示している。健康体の人が普通に暮らしているときの数値は百に近いはずだから、今の僕の体には三分の二の酸素しか回っていないことになる。スピードを上げ、腹式呼吸をさらに意識するが、SPO$_2$は六十四、六十三、六十二と下がり始め、脈拍は五十前後を行き来している。

低酸素室や低圧室の効果についてはいろいろな文献で紹介されていたが、どこかでそれらを軽視していたし、トレーニングには使いたくないと思っていた。現地に行き、村人やポーター達と接し、現地の食事をとりながら、そして山を見ながら高度を上げ、順応していくのがベストであると考えていたのだ。

しかし今回は、八〇〇〇メートル前半の山とは空気の層が違うと言われている八五〇〇メートル以上の高峰だ。K2は八六一一メートル。自分の体が適応できるかどうか、正直なところ不安があった。世界に十四座ある八〇〇〇メートル峰のなかで、八〇〇〇メートル前半の山であれば酸素ボンベなど使わなくても、現在の軽量化された装備を身に着け、十分にトレーニングを積んだクライマーなら問題はないだろう。しかし、エベレスト、K2、カンチェンジュンガ、ローツェ、マカルーのビッグ五は今でも頻繁に酸素ボンベが使われる。ボンベを使わず無酸素登頂を試みるクライマーは、誰しもが脳と肉体を破壊されるのではないかと不安と恐怖を感じながら登るらしい。

また、過去のデータによると、K2は極めて低い登頂率に加え、無酸素登頂した半数のクライマーが下山中に死亡しているという。だから否応なしに自分の能力が不安になるのだ。僕は、低酸素室により肉体がどのように変化するか把握しておきたかった。K2頂上直下では天候はもとより、必ず肉体との対話により前進するか敗退するか決定を求められることになるだろう。

鹿屋体育大学の山本正嘉先生からは、低酸素室を自由に使ってくれと言われていた。日中二、三時間、六〇〇〇メートルの高度で走った。睡眠中は初日、四〇〇〇メートル、二日目、四〇〇〇メートル、そしてそれから五〇〇〇メートルと上げていき、五日目の夜には六〇〇〇メートルまで上げた。人間は活動しているときは酸素もたくさん取り込めるが、睡眠中は呼吸が浅くなり、酸素はあまり入らなくなる。高所での長時間滞在がよくないのはもちろんのこと、長時間寝るのも避けた方がよさそうであることが体の反応からわかった。K2では短時間で頂上を極めたほうがよいだろうし、高所での睡眠はなるべく避けたほうがよさそうだ。実際、僕はベースキャンプを出発してから四十八時間で、K2山頂に立つことになるのだ。

最終日、六〇〇〇メートルにセットされた部屋の中で横になっていると、K2をすぐ近くに感じた。アタック前の緊張感、激しい呼吸をしながらのラッセル、そびえ立つ頂と雪煙。どれもリアルで、心拍数が自然に上がってしまった。

2

六月二十三日、ウルドゥカスの草の上に横になり、体を休める。この場所が最後の緑となり、K2登山が終わるまで氷と雪と岩だけの世界になる。二日後にはK2の全容が見られるはずだ。個人用小型ザックにはすでに双眼鏡が入れてあり、いつでもK2のコンディションを見られるようにしてある。

僕はぼんやりと岩壁を眺める。この場所に何年いたら、ウルドゥカス付近に展開する岩壁を全部登れるのだろう。正面にカシードラル南壁、左奥にはろうそくを思わせるネームレス・タワー、左稜線にナイフの先端のようなロブサン・スパイヤー。これらの岩壁の魅力を味わい尽くすには、残りの人生すべてをこの土地で過ごしても足りないだろう。

ヴォイテクはサングラスをかけ、頭からすっぽりとシルクのスカーフを被り、緑の上で横になっている。寝ているのか、それともこれからの挑戦を考えているのかわからないが、体の調子はよさそうだ。

二十四日、ゴレを早朝に出発。歩きやすいスレート状の岩の上を先頭のポーターと一緒に歩いた。数時間後、雲を被っていなければ、K２が見えてくるはずである。写真や映像で見るK２と本物のK２の迫力の差はすでにわかっている。ぼろ雑巾を思わせるパキスタン軍のキャンプが現われ、コンコルディアに近づいたことがわかった。そろそろ見えるぞ。久しぶりに見るK２をどう感じるか。十分ほどさらに歩くと、雪のついていない茶色い尾根の向こうから、真っ白な頂が目に飛び込んできた。

K２だ。戻ってきたぞ。

さらに歩き続ける。

マジックラインの岩だらけのクーロワールと鼻のように突きだした危険な懸垂氷河が見える。さらに進むと、一九八六年に多くの生命が失われた七九〇〇メートルのショルダー。その肩から真っすぐ下の氷河に切れ落ちている南南東リブ。頂上左斜面には岩と雪が美しい南西壁が広がっている。本物の山、山のなかの山。怪物K

2だ。鋭く、また重量感があり、均整もとれている。双眼鏡を手にしたものの、どこから見ていいものかわからなくなる。期待と興奮が体を駆け巡り、ぞっとして身震いした。

六月二十六日、五一〇〇メートルのベースキャンプに到着した。イタリア、ブラジル、韓国から二隊、そして国際隊がK2で活動している。一大テント村ができあがっていた。色とりどりのテントが立っている。いろいろな人種が、それぞれ夢を現実にするため体力の限界まで出し切り、K2の頂に立ちたいと願っているのだ。

一人の韓国人がやってきた。

「どこの国ですか」

「日本とポーランドのミックスです」

「どちらから登る予定ですか」

「予定は東壁。私とポーランド人二人でアルパイン・スタイルで挑戦する。あとの二人の日本人は南南東リブを狙うつもりです。君たちはどこから」

「アブルッツィ稜にフィックス作業に入っている」

この韓国人に聞いたところ、もうひとつの韓国隊が南南東リブに十人近いメンバーで挑んでいる以外、ほかの隊はノーマル・ルートであるアブルッツィ稜のようだ。

パキスタンには、九一年、ブロード・ピーク、九三年、ガッシャブルムII峰・IV峰と有名な山に来ていたが、ここ数年、九五年のレディーズ・フィンガー、九九年のソスブン・タワーと訪れる人もいない静かなベースキャンプでビッグウォール・クライミングをしていた。いくらK2とはいえ、こんなに多くの登山隊がいることにショックを受けてしまった。

誰がいつ順応に登り、何日くらいにアタック予定だという噂が行き来するこのベースキャンプは、まるで下界の生活をそのまま山奥に持ち込んでいるようだった。ベースキャンプ村のなかでもっとも小さな僕達の登山隊は、最初の二日間を休養日にあてた。

しかし、晴天は長続きしなかった。チョゴリザに高層雲がかかり始めると、すぐにそれはブロード・ピークの稜線まで怪しい蜘蛛の糸のように広がりはじめ、すぐに悪天候に入るとわかった。南風はバルトロ氷河からゴドウィン・オースティン氷河に上がり、K2にぶつかっている。イタリアと韓国の撮影隊が、ベールに覆われ始めたK2頂上にカメラを向けて撮影し、天気の情報を衛星を利用して集めている。

僕はただ上空を眺め、いたって冷静に少しくらい休養日が長引いてもよいと考えていた。チャンスが来たら、それを最大限に利用すればいい。それまでは焦ることはないのだ。まずは五〇〇〇メートルのこの場所にゆっくりと体を慣らすことが重要だろう。超高所のこの山では、今まで経験した八〇〇〇メートル峰より確実な高度順化が不可欠だ。

厚く灰色の雲がK2を覆ったとき、雨が降り出した。

「本当に雨?」

「雨だよ」

みんなが騒いでいる。

世界的な異常気象が、ここカラコルムにも影響している。五〇〇〇メートルで雨とは、今まで経験したことがない。K2東面には雲が次から次へと押し寄せている。東壁は大丈夫か、コンディションが気がかりだ。

ヴォイテクは読書と決め込んだのか、テントの中から出てこない。ベースキャンプには山ほどの食料と燃料があり、いくら悪天候が続こうが僕たちにチャンスがな

コンコルディアから望む
K2南面の勇姿

くなることはないだろう。もちろん、寒気がくる九月までにはアタックをかけなければならないが……。

僕たちの活動が始まった。妙子と飛田和夫ペアはアブルッツィ稜に順応に向かう。僕たち二人はロープとアイス・ギアだけを持ち、ウィンディ・ギャップを目指す。東壁に取り付くにはアブルッツィ稜を大きく回り込み、標高の稼げない氷河を延々二キロ以上歩かなければならない。ヴォイテクはいつものように両腕を前に組み、正しく呼吸している。順応は成功しているようだ。

ヒドンクレバス帯に入り、ロープを結ぶ。ここからは今までの経験がものをいう行動になり、ピッケルでときどき雪面を突き刺し、あるいは右に左に方向を変え、ヒドンクレバスらしい所を回避し、時には二メートル近くジャンプした。氷河をひたすら歩き続けると、K2東面の全容が現われた。僕たちは足を止め、すべてを理解しようと頭をフル回転させた。

中央リッジはとても不安定な雪、ややオーバーハングしたセラックは一カ所だけ通過可能だ。上部雪田の傾斜は四十度くらいか。ヘッドウォールにはロックピトンを必要とするだろうか。実際の山は写真で見ているものと違うことはよくあるが、しかし今回は、ほぼ日本でイメージした東壁と同じで、モチベーションにも変化はなかった。

ベースキャンプで数日休養した後、二回目の順応行動で、強風に強いトンネルテントと、軽量化を考え、高品質の二人用ダウンのシュラフなどを運び上げ、東壁下部を試登する予定だったが、深いガスと降雪で取り付けなかった。毎日、雨と雪にはうんざりさせられた。K2はもとよりブロード・ピーク、ガッシャブルムなどの山々でも、連日の悪天候により山のコンディションは悪化し、登山隊は動きを止めているようだ。なかには遠征を中止し、国に帰る隊もある。

ベースキャンプに入って二週間になり、三回目の行動に移った。東壁下部を試登することにより、純粋なアルパイン・スタイルにはならないが、七〇〇〇メートルにあるオーバーハングしたセラックを越えるまで登ってみようということになった。夕方、氷河上に立てられたトンネルテントに潜り込む。またも細かい雪が降り出した。天井が低いので、寝ながら調理する。外から雪をとり、ポーランド製の温かいスープを飲むが、気持ちは晴れない。

翌日も雪。テントの中は狭く、体をまともに動かすことができないうえ、ヴォイテクの表情からは明らかにこの天候にやる気をなくしているのがわかる。翌日もわずかに東壁の中央リッジが見えるが、小雪が降り続き、ガスは深くあまり視界はきかなかった。

私がヴォイテクに「少し登ってみないか」と聞くと、「このガスではたいして上に行けない。上に行けないのなら無意味だ」という答えが返ってきた。

「今、登っても危険ではない。ときどき太陽の光を感じるよ」

「セラックまで行けなかったら無意味だ」

「登っているうちに晴れてくる可能性もあるよ」

ヴォイテクは僕に押される感じで仕方なく出発した。

リッジはすぐ六十度の傾斜になり、膝まで雪に潜った。そして雪が激しく降り出した六五〇〇メートル地点で登攀を諦め、ベースキャンプに戻ることになった。心の中は、「これからどうしたらいいんだ、K2の頂に立ちたい、どうしても登りたい！」と叫んでいた。事実上、このコンディションで東壁の挑戦は中止となった。

寺沢さんによると、南面に光が当たっているときでも東壁には常に雲がかかっていたという。

ベースキャンプに戻って数日が過ぎ、わずかな晴れ間にヴォイテクの提案で南南東リブから六七〇〇メートル付近まで上がったが、またしても天候が悪くなる。彼は集中力をなくし、K2に対して興味を失ってしまったかのようだが、僕はトップで登り続けた。

「泰史、下山しよう」

しかし、これには賛成できなかった。

「僕がトップで登り続けるから」

「体調もあまりよくないんだ」

先ほどから、彼の表情はあまりよくなかった。

「仕方ない、ベースに戻ろう」

数分後、ベースキャンプに向けて下降を開始した。再びK2の存在が遠くなりはじめる。多分、ヴォイテクにとって五回目のK2遠征もこれで終わることになるだろうと、どこかで感じていた。

「これからどうする？」

僕はヴォイテクを見つめながら質問した。

「晴れることはないよ。チャンスはないと思う」

「僕はどうしてもK2に登りたい。南南東リブなら一人でも登れる」

下降中に考えていたことを正直に伝えた。

「君なら登れるかもしれない。私はもう二度とK2に戻ることはないだろう。ポーランドに帰ることにするよ」

ベースキャンプでの二人の重苦しい会話は、ほかのメンバーも理解しただろう。それでも話し合ってよかったと思う。二人の間には何もわだかまりがない。素直に自分の道を選んだにすぎない。

3

南南東リブはアブルッツィ稜よりも平均傾斜は強く、随所に出てくる岩場も決してやさしくなさそうだ。七九〇〇メートルのショルダーから氷河まで標高二七〇〇メートルにわたり直線的にリッジを落とし、またアブルッツィ稜に比べ短時間で最終アタック地点となる七九〇〇メートルまで上がれるだろう。南南東リブは、一九九四年にスペインのバスク隊がルートを完登し、頂まで到達している。

しかし、ひとつだけ気がかりで問題なのは、大きな韓国隊が南南東リブ全体に長時間かけてフィックス作業をし、一カ月前に登頂していることだ。現実には上部のロープはすでに雪に埋まり、いくつかの箇所は紫外線が当たって傷み、使用できないだろう。しかし、好みはしないがこれらのロープの助けを借りることもあるので、アルパイン・スタイルとは言えなくなるだろう。スタイルの問題よりもむしろ、極度に疲労する下山中、古いロープを無意識に使ってしまう危険性があることだ。残されたロープは恩恵だけで済まないものがあった。

妙子達と一緒に登ることも考えたが、彼らはまだ完全に順応しておらず、いまだ調子がよくないようだ。そもそも彼らには彼ら独自の方法で、それに合った日にアタックをかける。僕はやはり一人で行くしかない。また、一人で行きたい気持ちもある。

何日も何日も思い悩んだ結果、魅力溢れる南南東リブを単独登攀し、夢のK2頂上に立つ冒険を捨てきれない自分に気がついた。多分僕は、生理学上の限界を超えて、一人で登りつづけることになるだろう。

徐々に、この大胆なアイディアに魅了され興奮し、空想が広がった。天候は回復しない。数日が過ぎ、ヴォイテクは「グッド・ラック」の言葉を残し、K2に背を向けて下山していった。僕には、彼と一緒にK2の頂に立ちたかったという悲しい気持ちと、一人になったというリラックスした気持ちが交互に訪れるのであった。

七月二十八日、突然、上空に青空が広がり、K2の稜線もブロード・ピークも雪煙はパキスタン側に飛び、風が中国から吹いていることを示している。たくさんの雲も次から次へと中国側から現われるが、危険な雲ではない。ほかのメンバーには、明日、出発する予定だと伝えていたが、今日がチャンスのような気がする。理由は説明できないが、長年の登山経験が今日行かなければならないと訴えているのだ。

コックに昼食を早めに用意してもらい、すでに準備してあるザックの中身を再度点検した。ラーメンを口に頰張りながら、チョコバーとキャンディー、チーズをはさんだチャパティなどをザックに少し加え、顔に日焼け止めクリームをたっぷり塗る。この日焼け止めクリームを持っていくかどうか迷うが、ここに置いていこう。多少、日焼けしてももう構わない。この一回のアタックで必ず頂上に立つ確信のようなものがあった。

　午後十二時三十分、出発。五日後にはここに戻ってこよう。歩き慣れた氷河を一時間歩き、南南東リブ取付へ。気温は十度以上あるが、ダウンスーツを着込み、夜間登攀に備え、ヘルメットにヘッドランプを装着する。まずは目指す小ピナクルを見つめると、集中力が増し、自分が山にフィットしてきたのを感じた。本番は始まった。すべてをK2に賭けよう。腐った雪が足を重くしたが、スピードを緩めるわけにはいかない。先ほどからこぶし大の石が頻繁に落ちてくるので、安全な岩稜帯まで休まずに登った。韓国人がフィックスしたロープは白茶け、ロックピトンもずいぶんと弛んでいた。ときどきロープを握り、フィックスロープの強度に疑問を感じるところはフリー・ソロで登った。剥離しやすい岩と深い雪、すべてK2が与えてくれる試練を当たり前のように受け止め、冷静に突破する。一人でいる開放感を味わい、巨大な山のスケールを楽しんだ。休まず登り続けること六時間。ヘッドランプをオンにし、暗闇の中さらにスピードを上げた。真夜中、六九〇〇メートルにある妙子・飛田ペアが高所順応のために寝ているキャンプに僕も入れさせてもらい、休養することにした。

明るくなると同時に再出発。上空を見上げると、まだ中国風が吹いている。二日は持つだろう。ベースキャンプを出発してから二十四時間、七五〇〇メートル付近で完全にフィックスロープは深い雪の下に埋まり引き出せなくなった。一歩一歩、足を上げるのに苦労するほど雪は軟らかく泥沼のようだ。体力も消耗する。わずか七キロの荷物がやたら重く、まるで頂上直下を登攀しているように辛かった。明日の登頂日のために体力を温存したいが、ここでキャンプしては頂上まで届かないだろうし、ここはあまりにも雪崩の発生する確率が高く、進むしかない。七七〇〇メートルを越すと雪はますます深くなり、時には腰まで潜った。立ち止まり、目指すショルダーを見上げると、錯覚とは知りながらもとても近く感じられ、また動く勇気が出る。うなり声をあげ、一メートル、一メートル泳ぐ。ベースキャンプからだとスケールの大きなK2のなかでは動いているようには見えないだろう。

暗くなりかけるころ、急に傾斜が緩くなった。岩がむき出しになったスラブに変わる。バランス感覚がなくなるくらい疲れているので、四つん這いになりながらテントが立てられそうなところを探した。距離にして一〇〇メートル、中国寄りが平らに見えるが、天候が悪くなり視界がきかなくなったとき、この辺りであれば南南

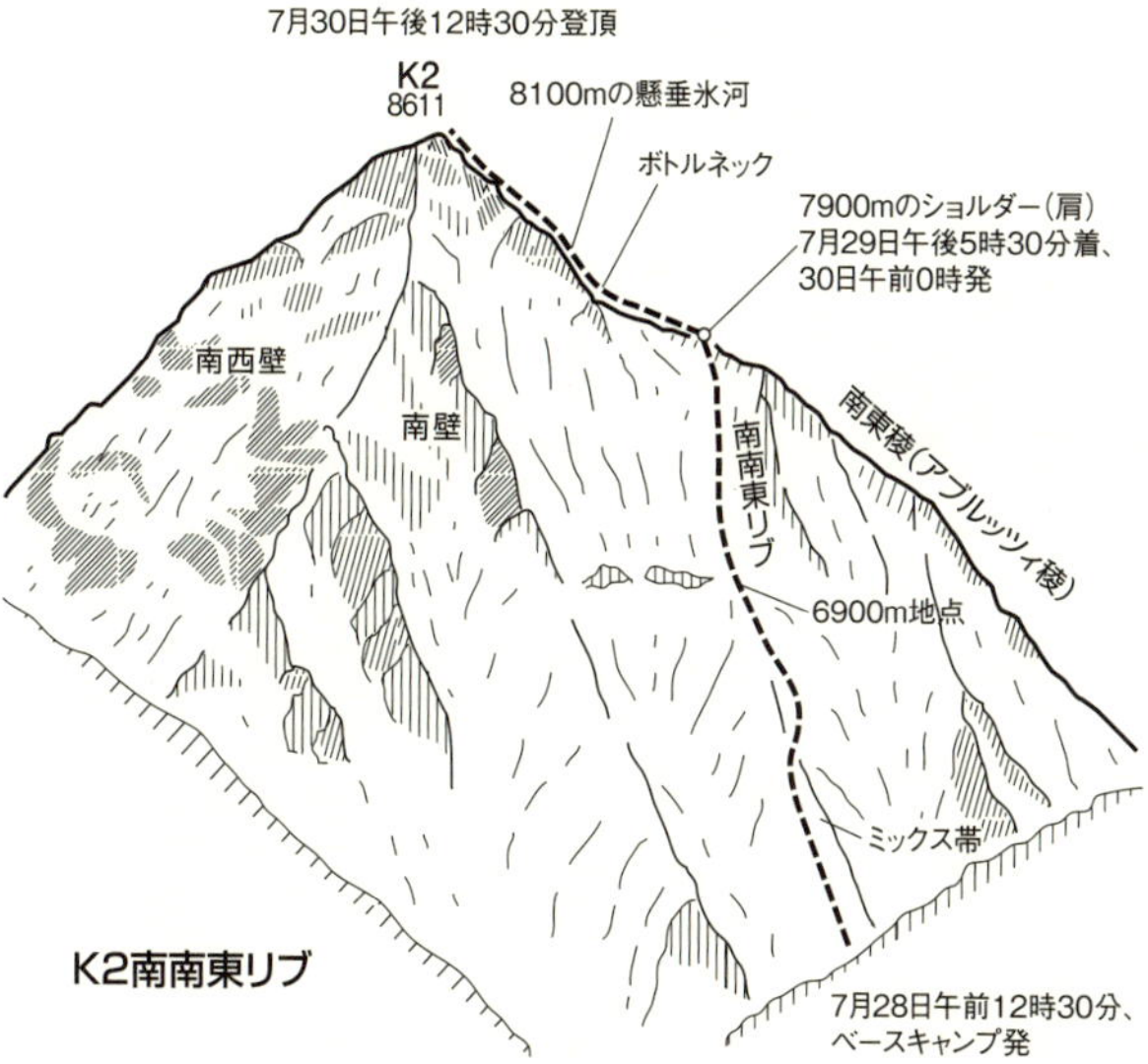
7月30日午後12時30分登頂
K2
8611
8100mの懸垂氷河
ボトルネック
7900mのショルダー（肩）
7月29日午後5時30分着、
30日午前0時発
南西壁
南壁
南南東リブ
南東稜（アブルッツィ稜）
6900m地点
ミックス帯
K2南南東リブ
7月28日午前12時30分、
ベースキャンプ発

東リブの下降ポイントがわかるはずだ。疲労困憊のなか、一九八六年のことを考えていた。視界がきかず、下降路を見失ったクライマー達はショルダーに立てられたテントの中で衰弱し、次々と亡くなり、下降に踏み出したときはほとんどのクライマーが雪の中で倒れた。どんな状況になっても下山できる場所にテントを張ろう。パキスタン側、三十度傾斜している場所で雪をどかし、スレート状の岩を剥がし、一人用テントを張れるスペースを確保した。

二十九時間で二七〇〇メートル登ってきた。まずまずだ。ひと仕事終え、ふと周りの様子が気になった。九年前に登ったブロード・ピーク、八〇四七メートルの頂はほぼ同じ高度。はるか遠くには針を思わせるマッシャーブルム。また、白いカーテンを思わせるチョゴリザ。そして、その頂には小さな雲が発生しているが気にすることはないだろう。まだ中国の風だ。

さて、K2はどうだ。頂上までの標高差七〇〇メートル。急なクーロワールを上がり、通称ボトルネックを抜けると、巨大で有名な一五〇メートルもある懸垂氷河が下を左にトラバースする。相当の高度感だろう。確率は低いとはいえ、懸垂氷河が自分の登攀中に崩れないとは限らない。トラバース後は傾斜がさらに強くなり、下山中、何人ものクライマーがスリップしたと言われる雪壁を抜けることになる。その後はいくぶんやさしくなるが、頂までの距離はかなりある。明日はとても長い一日になるだろう。グローブと電池の予備は必要だろう。下降のことを考え、アイスピトンも持っていこう。

テントにおさまり、ゆっくりとお茶の準備をする。何時間も水分をとらずに行動した今の体はとても危険な状態といえる。極度の脱水で血は濃くなり、高山病になる危険もある。ひとつのティーバッグで何度も紅茶を入れたため薄くおいしくないが、体に水分が行きわたるように、ゆっくりゆっくり飲んでいく。こんな高い高度で寝るのは初めてで、肺や頭の具合が気になり、異常をきたしていないか、体の反応を注意深く観察する。今のところ頭痛や吐き気などはないが、ここでは長居は禁物だ。死の地帯では脳浮腫や肺水腫の危険が常にあり、病気にならなかったとしても時間が経過するにつれて体は低酸素により蝕まれる。

ベースキャンプの寺沢さんとトランシーバーで交信する。

「ただいま、七九〇〇メートルのショルダーです」

「体の調子はどう？」

「ここに上がってくるまで、とても疲れた」
「明日は何時に出発するの」
「あと四時間はここで休み、深夜零時には出発するつもり。登頂までたぶん十時間以上かかると思う」

寝ているのか起きているのかわからない時間が過ぎ、北風が出発しろとばかりにバタバタとテントを叩く。三時間前に作った紅茶はすでに凍りつき、コンロで温めてもなかなか解けてくれない。でも、自分が一人で何もかもしなければならないことを楽しむ余裕さえある。気分は悪くないが食欲はなく、ビスケットを五枚だけ口に入れる。ザックの中身をもう一度点検する。ヘッドランプの電池、グローブ、テルモス、チョコバー。十分すぎる量だ。外は期待通り満点の星空。いつもと同じように左足からアイゼンを着け、今はまだ見えないボトルネックを目指し、ゆっくりと出発した。

時刻は零時。雪は締まりアイゼンは心地よく刺さるが、数時間前の疲労は抜け切れていないのか足に力を感じない。呼吸と足の運びを合わせよう。こんな調子だと頂まで届かないかもしれない。氷雪面は徐々に小さくなり、ボトルネックの入口に入っていった。

一時間ほど前から、アブルッツィ稜から上がってショルダーにキャンプしていた韓国隊のライトがテントの周りで動いているのがこの高さからも見える。彼らは酸素ボンベを使うので、間もなく僕に追いつくだろう。

標高八一〇〇メートル、クーロワールに入り雪は深くなり、一段とスピードは落ちた。不気味なモンスター、一五〇〇メートルもの懸垂氷河が崩れたら逃げ場はない。一メートル四方のかけらが当たっても、もちこたえられないだろう。過呼吸のためか体が少々痺れるので両手で口と鼻を覆い、呼気のなかの二酸化炭素を吸う。こうして呼吸中枢を刺激してやらないと、呼吸が浅くなってかえって酸欠に陥ってしまうのだ。

朝日がモンスターに当たり始めるころ、ボトルネック出口にさしかかった。露出した岩へ激しいスノーシャワーが落ちている。アイゼンを岩の上でギシギシと音をたてながら、懸垂氷河に刺激を与えないように通過する。寝ている猛獣を起こさないようにゆっくりと動作する。左へ左へ深い雪をトラバースしていると、金色に輝いた氷河は本来の青い色に変わっていった。

頂上まであと五〇〇メートルあまりの標高差がある。ここからは頂上までひたすらまっすぐだ。体も少し暖まり、呼吸も楽になってきた。上に、さらに上に。時折、腰まで雪に潜るが、気持ちは充実していた。八三〇〇メートル、左にピナクル状の岩をゆっくりと通過。風はなく、紺色の空の下、強い紫外線を浴びながらひたすらラッセルする。八四〇〇メートル、クレバスの乗っ越しに苦労していると、酸素ボンベをつけた韓国人が上がってきた。

「ラッセル、交代するよ」

「ありがとう。それよりも一人で？」

「友達は酸素が切れたから途中で下山した。頂上はどのくらいかかるかな」

「ここから三時間くらいだろう」

彼が先行しクレバスを越え、僕も後に続いた。

標高八五〇〇メートル。カメラだけをポケットに入れ、ザックをデポしていくことにする。太陽が沈む前に登頂し、ここまで下山できるだろう。ブロード・ピークははるか下に見える。K２は本当に信じられないくらい高い。

寒さは感じない。何時間も前からグリベルのピッケルとアイスバイルを素手で握っている。特別強い息苦しさも感じず、無酸素登攀という意識もなく、ときどきそこらに落ちている酸素ボンベが不思議なもののように見える。心臓も肺もちゃんと機能している。

標高八五五〇メートル。傾斜が強くなり、美しい雪壁をダブル・アックスで進んだ。頂上稜線は近い。五歩登っては止まり、上部を見上げる。さらに次の五歩。一瞬、今の時間が気になったが、もうどうでもいい、頂に立つまで。さらに五歩。スローモーションのようにしか動けない体。長い長い斜面。雪また雪。

急雪壁を抜けると視界がよくなった。頂上稜線は頂に向かって左に延び、紺色の空に消えている。無線交信をした。

「頂上近くにいます」

「あとどのくらいですか」

「本当の頂を目指します。一時間以内で着くと思います」

「がんばって」

そこからの登高は解放された気分のなか、頂点に自然に体が引きつけられる。中国側の小さな山々が見える。この大気に体は溶け、自分という存在が消え始めた。

夢のK２の頂はすぐ近く。一気に三十歩進む。

頂に着いたとき、激しい疲労感が体を襲い、南斜面には雪庇が出ているのに、倒れ込むように腰を下ろした。わずかな時間で、この八六一一メートルの頂に体を持ち上げられたことが、どこか現実ばなれして信じられない。自分の能力の大きさにただ驚く。自分が表情を変えていないことはわかったが、それでも心の中では微妙に震えを感じていた。

二〇〇〇年七月三十日午後十二時三十分。また、ひとつの夢が実現した。トランシーバーに向かって怒鳴る。

「今、着きました。すべてオーケーだ」

すべての山が足下にあり、青く澄んだ空が頭上に広がっている。諦めなくて本当によかったと思った。

理想のクライマー　夢

僕のモチベーションは、どこからきているのか。登りたいという内なる衝動は途切れることなく、ひっきりなしに湧き出てくる。あのクライミングの世界に戻り、手足に力をこめて高みを目指したい。

荒々しく乾燥した大地、深い渓谷には濁流の音が響きわたり、高い丘にはわずかな緑を求め、急な斜面に放牧されたヤギたちが動きまわる。はるか先には、長大な氷河がどこまでも続き、口を開けたクレバスが無数に見える。強い紫外線は髪をパサパサにし、日焼け止めクリームを塗った肌をもジリジリと焼く。上空は抜けるようなブルー。高峰の稜線では、猛烈な風が積もった雪を蹴散らす。頂を見つめていると、予想される薄い酸素を思い、自然に呼吸は深く大きくなる。生物を拒絶する岩と雪と氷の世界──。僕はそこに帰らなくては生きていけない。厳しい環境が眠っている僕を生き返らせてくれるのだ。

理想のクライマー像というものがある。僕のモチベーションは、そこからも生まれているかもしれない。

そのクライマーは、日が当たらずパズルのように複雑な地形をもつジャヌー北壁や、赤味を帯びてオーバーハングしたヘッドウォールをもつ最大級の課題ラトック北壁なども登ってしまう。そのクライマーは、どんなに難しい岩壁や氷壁が現われても迷うことなく、冷静に、そしてコントロールされたムーブで休まず登ってしまう。

僕は理想のクライマーを追いかけ、近づこうと試みる。そこには登攀史も名誉も何も関係ない。僕はただ憧れているだけだ。一生とどかない夢かもしれないが、熱望している。

くたくたに疲れても大きなケガをしても、僕はそれらを無視するように突き進んできた。もっともっと高い領域で行動したいと思い、一年あるいは二年と計画を練り上げ、トレーニングして挑戦する。そしてフラフラになりながら完登しても、日なたで二、三日休養すると、登攀自体が物足りなかったように思えてしまうのだ。

若いころからこうした状態は続き、いくら友人がほめてくれても、過去の登攀で心の底から満足できたと言えるものはほとんどない。理想のクライマー像からは、遠くかけはなれている。

　僕の潜在能力はもっと遠くにあるはずだ。精神的なレベルももっと高い次元を目指したい。人よりも優れたクライミングを、または名を残すようなクライミングを求めたときもあったが、現在は内に秘めたものがどれだけ発揮でき、満足できたかがすべてである。

　なぜそんなにもモチベーションを持続できるのか疑問に思う人がいる。それについて僕自身が分析することは難しく、実際、うまく答えを見出せない。なぜ子どもが遊びに夢中になり、甘いものをほしがるのか、理由がよくわからないように……。

　僕は、空気や水のように重要で、サメが泳いでいなければ生命を維持できないように、登っていなければ生きていけないのである。

第七章　生還

ギャチュン・カン北壁

ロンブクへ
ロンブクへ
ベースキャンプ
0 1 2 3 4km
N
ギャチュン氷河
ギャチュン北氷河
パルン氷河
スーカンリ
7309
ジウダ・リ
パルン・リ
ロンブク氷河
ゴジュンバ・カン
I峰
7718
北壁
7743
北東壁
ロンテ氷河
ゴジュンバ・カン
II峰
ギャチュン・カン
8201
7952
リ・リン
チョ・オユー
ドンチョン・リ
ルンサンバ氷河
ゴジュンバ氷河
ナンパイ・ゴズム
ヌプ・ラ
西ロンブク氷河

1

まっ黒に炭化した手足の指。左手が小指と薬指、右手は小指と薬指、中指。右足は全部の指が黒くミイラ化している。数週間後には僕の人生でもっとも重要なものが切断されることになる。

もう岩登りはできなくなるかもしれない。小学生のときから始めた登山、二十五年以上、休みなく登りつづけた。何度も何度も大きなケガをし、それを乗り越え、世界中を旅し、岩に雪に氷を求めてきた。

もう満足したかもしれない。諦められるかもしれない。ゆっくり暮らしてもいいのかもしれない。

妙子は今、何を考えているのか。同じ四階の病室で同じように両手の指がすべて黒くなり、十一年前の手術により短くなった指がさらに切られる。アルパイン・クライマーとしての生命は、完全に閉ざされることになるだろう。

僕はこれからどうすればいいのだろう。生きて帰れただけでも幸せだよと見舞客は口にする。疲労が抜け切らない体を横たえ、暖かなベッドの上で音楽を聴いていると、幸せかもしれないとほんの少し思う。

夜中、目を閉じ、ときどき思い返す。極限状況のなかでの登頂。雪崩。墜落。どれも恐ろしいほど鮮明に記憶に残っているが、どこか映画を見ているように現実に起こったこととは思えない。本当に僕達はあんな力を山の中で発揮したのだろうか……。


今回、ギャチュン・カン遠征はそもそもベースキャンプの位置があまりよくなかった。モレーン上にぽっかりと広がった平らな台地と新鮮な湧き水。六〇〇〇メートルの未踏峰が周りを囲む。しかし、ギャチュン・カン取付へは遠く、八キロ以上離れていたと思われる。一九九九年、ギャチュン・カン北壁を初登攀したスロベニア隊のベースキャンプはもっと山に近かったはずだが、もともとまともな資料がないうえ、ヤクにはこれ以上、足場の悪い道を前進させることは気の毒すぎた。

目標の北東壁の偵察はもとより、順応行動にも道のりはうんざりするほど長く、信用のならない地図を頼りにモレーンの丘を越え、氷河を横断し、アプローチだけで本格的な登山といってもおかしくなかった。

二〇〇二年十月五日、ネパール人のベースキャンプ・コック、ギャルツェンを一人残し、僕達はギャチュン・カン北壁に向け出発した。十日にはここに戻ってくる。遅くとも十一日には――。この言葉には、十一日以降帰ってこなかったら死んだと思ってもかまわないという意味も含まれてはいるが、特別いつもより強い決意のもと出発したのではなく、いつもどおり平常心で北壁を楽しもうという気持ちだったと思う。

ギャチュン・カンはネパールとチベット国境にある七九五二メートル、ほとんど挑戦されることのない山だが、すべての斜面が切り立ち、ネパール側は必ずといっていいほど写真集に登場するくらい美しい山だ。そして、チベット側から見るとまるで要塞のように立ちはだかり、容易に山頂に立たせてくれないことがわかる。また、ほとんど登頂されていない理由は、困難性はもとより、近くにはあのあまりにも有名なチョモランマがあり、わざわざ八〇〇〇メートルに五〇メートル足りない山を選ぶクライマーは少ないからだ。

最初にチベット側のギャチュン・カンを知ったのは、ここ数年、最高のクライマーを生み出しているスロベニアが、一九九九年、六人の強力なクライマーで北壁の初登攀を成功させた記録を『アメリカン・アルパイン・ジャーナル』で読んだときだった。メンバーのなかにはヒマラヤ登攀史上重要なアンドレ・シュトレムフェリと、その良きパートナー、マルコ・プレゼリも含まれていた。その記録に北東壁のことも書かれており、またいろいろなところから写真を集めるにつれて、北東壁は単独登攀するにはやりがいのある壁として魅了されてしまった。

しかし、現実は甘くなかった。北東壁は予想通りと言うべきか、実際に行ってみると写真とは異なり、常に雪崩の危険性が高く、岩もピトンの打てないスラブばかりだった。仮りにフリー・ソロでスピード登攀しても、頂からの下降は生還する確率が低いと判断し、代案として考えていた妙子との北壁の第二登を目指すことにした。目標の北東壁に挑戦できなかったものの、北壁への集中力は日に日に高まっていたと思う。

五日午後二時には、五九〇〇メートルの台地にテントを張った。取付まで三十分で行けるだろう。明日からの闘いに備え、太陽のエネルギーをいっぱいに体に浴び、お茶を何リットルも飲む。最初にアイゼンとプラスチック・ブーツが合うか、もう一度点検した。その後もいろいろな装備を次から次へと点検していった。夕方になると太陽の光が弱まり、スーカンリやゴジュンバ・カンなど西の山々に、クラゲが海を泳ぐように雲が広がった。少しだけ不吉な感じがしたが、二日ほど前から夕暮れになると雲が発生し、またそれは三時間ほどで消えることを知っていた。ただ気になるのは、天候の目安になる気圧計の針が、いつもよりはっきり下がり始めたことだった。

六日午前二時三十分。慌しく食事をする。この場所にはテントのフライ、わずかな食料、ストック二本を残す。三時三十分出発。暗闇のなか、いきなりラッセル。北壁にはなかなか近づけない。体は暖かくじわりと汗をかいているが、なぜか右足が冷える。こんなこと、今までになかったが、そのうち暖まるだろう。

闇のなか、いきなり傾斜が強まり北壁が始まった。左に大きくベルクシュルントが口を開けている。僕達はロープを結び合わず、六十度の雪壁を登り続けた。

「妙子、左にルートを取るなよ。上にセラックがある」

「どこを通るの?」

「右のリッジ。岩に接近しよう」

思っていたより雪壁は傾斜があり、また硬い。登ることさえ難しい雪壁は、下山時、足元が見えにくいうえ、バランスもとりにくくなる。登り以上に苦労することが予想された。

六七〇〇メートル、ルンゼを終わるころ、ギャチュン・カン北壁に陽が当たり、延々と続く急斜面とオーバーハングを含んだロックバンドが一瞬、黄金色に輝いた。今日も晴天だ。理想的なスピードで登る快適なヒマラヤのアルパイン・スタイル。妙子がトップで一カ所難しい氷を越し、スロベニア・ルートから分かれ、左へ左へトラバースする。上部のオーバーハングした岩壁帯を直登することは手持ちのピトンの数では考えられないが、とても気になるラインだ。下降のときに使えるかも……。今思えば、そんなことを思っていた。ハング帯の左端を目指し、不安定きわまりない雪を交替でラッセルしながら登っていく。

昼を過ぎ、北壁の登攀ルートでもっとも客観的にみて危険性が高いと感じていたセラック下での登攀。短時間で通過したいのはやまやまだったが難しすぎた。

「妙子、ロープ出すか」

「要らない」

「本当にいいのか」

「いいよ」

アイゼンの置き場所に困るほど岩はぐずぐずで割れやすく、ひとつ足場が崩れればギャチュン・カン氷河まで一〇〇〇メートル墜落するのは目に見えている。いつ崩れてもおかしくない何十トンもの氷の塊、セラックから、小さな氷のかけらが猛スピードでバウンドしながら落ちる。

「急げ、急げ！」

心の中で叫ぶが、ここは六九〇〇メートル。激しい呼吸のなか、そんなに思うように体は動いてくれない。妙子が遅れ始めているが、ここで待つわけにもいかない。ただ安全地帯へ、それだけだった。もっとも危険な箇所は脱出したものの、登っても登ってもミックス地帯は続いた。

連続十六時間の行動後、午後六時、標高七〇〇〇メートル地点に着いた。一時間かけ、奥行き五〇センチ足らずのテラスの上にテントポールを無理矢理曲げ、テントを設営した。ひと仕事を終えるころ、ふたたび上空に雲が発生していることに気がついた。それも昨日よりも一段と広がり、ギャチュン・カン上部をすべて覆い、厚みも増している。確実に悪くなっているとはいえ、登攀を諦めるほどではなく、むしろギャチュン・カン氷河の大きなうねりと高度感を楽しんでいたかもしれない。

睡眠中、墜落するかもしれないので、露岩と体をロープで結んでいるうえ、狭いテントの中では折り重なるような体勢だったので、感覚の戻らなかった右足の靴を脱いでマッサージすることはできなかった。

この時点では二人とも食欲があり、登攀中の食事としてはいろいろなものを食べられた。ちなみに今回の食料は、アルファ米一袋、やきそば二袋、乾燥汁粉二袋、ビスケット一〇〇グラム、アミノ酸とブドウ糖のタブレット三十個、コーヒー、紅茶、ミルク、スープ、ココアなどの飲み物。これらの食料はすべて合わせても一キログラムにもならないが、それでも四日過ごせるはずである。妙子は、過去の経験から高所ではあまり食欲がないことも計算して出した量だ。

翌日も高度感のある切り立った氷雪壁を登る。昨日よりもはっきり雲の量が増え、頂上稜線はときどきしか現われなくなった。僕達は言葉を交わさなくともトップを交替し、登りつづけた。粘りの少ない砂を思わせる雪。その下一〇センチには手がかりの少ないスラブばかりで緊張の連続。登攀速度はますます上がらなかった。今朝、暗いうちに七〇〇〇メートルを出発したのは、今日中に登頂し、七五〇〇メートルまで戻ってビバークできるのではないかと思ったからだ。しかし、十二時間登りつづけ、わずか高度差五〇〇メートルしか稼げなかった。

標高七五〇〇メートルに到着したときは緊張の連続で疲れ果てていたが、ここは登攀中、唯一、両手を放しても立っていられる三十度の斜面だった。ガスが次から次へと押し寄せ、僕達を取り込み始めていたが、明日の登頂への希望はまったく捨てていなかった。テントを張り、体を横たえるころ、ついに小雪が降り出した。

恐る恐るアウターシューズを脱ぎ、次にインナーシューズを脱ごうとするが、凍りついていて脱げなかった。なんと靴下までもバリバリに凍りついている。ゆっくり靴下を脱ぐと、足先は無惨にも紫色に変色していた。それでも、まだ切り落とすほど悪い凍傷ではない。それに高度差五〇〇メートルで頂上だ。

「明日、何時に出発する？」

「四時には出発しよう。遅くとも昼には頂上に着ける。うまくすればテントをたたんで七二〇〇メートルまで下れる」

小雪はいつの間にかテントをたたくほど強くなり、西風も吹き出した。

八日午前四時には出発準備を終えていたが、外はほとんど視界がないうえ、吹雪だった。焦るな。明るくなったら出かけられる。妙子は高所の影響でまったく食欲がなく、表情も疲れが見えたが、頂を諦めたようではなかった。

四時間後の午前八時、頂上アタック開始。二〇メートル先も見えないが、方角はわかっている。傾斜がないだけラッセルが苦しく、五〇センチ以上潜る。トップを続ける僕に妙子はまったくついてこられず、どんどん離れていく。西風は強くなる一方で、国境の右稜線を辿ったスロベニア・ルートを諦め、七十度近い壁を直登する。荷物をほとんどテントに残してきたので、体は昨日よりは軽い。午前九時、妙子は頂を諦めた。

「私、下りるよ。調子悪いから」

「わかった。頂上を往復してくる」

彼女がカメラを持っているのに気がついたが、一〇〇メートルも下降して取りにいく気力はなく、そのまま登りつづけた。

気温はマイナス三十度にはなっていただろう。右足はまったく感覚はないが、頂への情熱はもはや抑えきれず、むしろ高みに上がるにつれ、今、登攀に人生を賭けている喜びでいっぱいになった。

一〇〇メートル頭上には、頂上スカイラインと思われる場所からもうもうと雪煙が飛び、上空は雲の塊が次から次へと流れ、時折、真っ青な空も見せた。スカイラインのリッジに接近すると、残念ながらさらに向こうには驚くほど長い斜面が続いていた。技術的に難しいものではないが、呆然とするくらい長い。太陽光は頂上の一角の岩をとらえている。強風のなか、新雪を踏みしめて突き進む。この瞬間を僕はいつも求めている。ここが僕の人生でもっとも相応しい場所なのだ。最後は体をひきずり、よろめきながら着いた。

二〇〇二年十月八日午後一時三十分。広大な雪原にある頂点に立ち上がった。特別感動的なことは何もなかった。ただ呆然と立ちつくし、西から押し寄せる雲を仰ぎ、氷河上にあるだろうベースキャンプの方角を見た。眼下に広がる雪が降り積もり、真っ白に変化した氷河までの距離がとても長く感じられ、楽に到達できそうには思えない。今回は無理をしすぎてしまったのでは……。何となく、これから試練が待っている気がしてならない。生きて帰れるのか──。

さあ、下山だ。長居は禁物だ。一分ほどで下降を開始。スロベニア・ルートを後ろ向きで一歩一歩、下山する。最初は順調に下降していたが、後半は激しい疲労感

スロベニア隊に続いて
第2登となった、
ギャチュン・カン北壁

に襲われ、ホワイトアウトのなかトレースは発見できず、感覚だけを頼りにテントを目指すが、三歩歩いては座り込む。右足の感覚がなかったせいか、あるいは今日は体調が悪かったのか――。K2登頂後にも味わわなかった脱力感。テントのある方向へ大声で叫ぶが、届かないようだ。一瞬、下の方が一面、青空に変わった。しめた、このチャンスを逃せない。スピードを上げる。

しかし、それは青空ではなく、大きく開いたクレバスだった。一年中さまよっているのではないかと思えるくらい辛い道のりだった。長年、使い続けたかわいらしい黄色のマジックマウンテンのテントを発見した。ギャチュン・カン脱出への第一歩は成功したようだ。しかし、雪はますます激しく降り、風も強さを増してきていた。数歩歩いては立ち止まり、へたり込む。

午後三時、七五〇〇メートルのテントに帰ることに成功した。精も魂も尽き果て、呻きながらテントの中に入った。妙子に靴を脱がせてもらい、マッサージしてもらう。ますます右足は悪化していた。

2

翌九日、視界は一〇メートル。ここにいるわけにはいかない。七五〇〇メートルに何日も滞在できないのはもちろんのこと、ここに留まっていてもますます雪の状態は悪化し、下降できなくなる可能性がある。下りる以外に選択の余地はないのだ。昨夜以上に凍傷が悪化した右足が痛み、キックステップができない僕に代わって、どこにこんな力が残っていたのかと思うほど、妙子が雪を固めながらトップで下り続ける。トラバース、そしてトラバース。遠くで雪崩の発生している音が聞こえる。ギャチュン・カン北壁は雪崩の巣に変わり始めていた。

十二時間、連続して下降したものの、この日、標高差三〇〇メートルしか下りられなかった。そんななかでももっとも安全と思われるロックバンド直下でビバークすることにする。妙子は懸命にテラスを作ろうとピッケルで七十度の斜面を削るが、すぐに岩が出てきてしまう。僕はビレーができるようにチタンのロックピトンをロックバンドに打ち込もうとするが、どれもあまり信用できるものではなかった。手持ちの六本すべてを打ち込んだ。

結局、一時間悪戦苦闘したものの、外傾した一〇センチ足らずのテラスに、二人ともお尻の半分をひっかけるようにして座るしかなかった。テントを頭の上から被ると、多少、風よけになる。もちろんアイゼンは外せないし、靴も履いたままだった。顔の皮膚が痛いほど気温はぐんぐん下がり、雪は山全体をたたきつづけた。こんな悲惨なビバークは日本の岩壁でも経験がない。ましてここはヒマラヤ七二〇〇メートル。この日、気温はマイナス四十度近くまで下がっていたと思う。

先ほどから近くで「ゴォーッ」という雪崩の音が頻繁に聞こえる。懸垂氷河から雪崩が発生しているのだ。

脱水状態で血液がかなり濃くなっているにもかかわらず、胸で懸命にかかえたコンロで紅茶を作ったが、一人一〇〇ミリリットルくらいしか飲めなかった。

その時だ。突然、すぐ上を大型トラックが通過するかのような音が聞こえた。来た、ついに来た——。

「耐えてみせる。絶対に死なないぞ」

五、六秒後、雪崩が襲ってきた。マナスルでの経験と同じような衝撃。雪の塊が頭を打ちつけ、首の骨が折れそうだ。雪の圧力でテラスから落ちる。ビレーを取っていなかったら確実に下まで落ちていただろう。その間十秒。気がついたときは、二人とも全身雪まみれになっていた。

「妙子、大丈夫か？　俺はもう一度、ロックピトンを確認してくる」

「ここも安全じゃなかったみたいね」

数分後には二度目の雪崩。

「来たぞ。体を壁に押しつけろ！」

体を丸めると、まともに雪の圧力を受けてしまうのだ。

先ほどよりさらにすさまじい衝撃。防空壕に逃げ込んだ兵士を襲うように雪崩が二人に襲いかかる。本当に一晩中、ここで耐えられるのか。生きて帰るのは生やさしいものではないかもしれないと、どこかで冷静に考えていた。

「妙子、あまりピトンに体重をかけるなよ」

「無理よ、テラスが小さすぎるよ。それより、これ以上大きな雪崩が来ないといいけれど……」

「もしもこれ以上の大きなのが来たら、ピトンは耐えられないよ。地形を考えれば、頻繁に落ちてくれさえすれば巨大な雪崩は発生しないかもしれない」

二人の状況はあまりにも惨めだったが、ここで耐えるしかなかった。その晩、その後、何度も雪崩の衝撃に耐え続けた。

十日午前六時、固まった体を無理矢理動かし、雪を払いのける。残念ながら、小雪はまだ降り続いていた。このままロープを使ってまっすぐハングを下りよう。そうだ、初日に登ってきたセラック下は雪崩の巣だ。僕が先に五〇メートルいっぱい下りて、ピトンを打ってビレー点を作ったら、妙子を迎え入れる。

一時間後、下降を開始。うまくすれば今日中に氷河に下り立てるのではないかと期待しているものの、体の動きは疲労のためかぎこちなかった。一ピッチ、一ピッチ、ゆっくり下降する。しかし、数多いビッグウォール・クライミングの経験から、ロックピトンを打つ自信は持っていたものの、この北壁はピトンの打てるクラックが乏しいスラブばかりだ。たとえクラックが発見できてもとても脆く、数メートル四方の雪を払いのけてもまともなクラックが見つからないこともあった。

まっすぐ下降を続けた。

「泰史、見て。すごいよ」

「すごいな、きれいだな」

「あれを食らったら助からないね」

初日に登ってきたミックス帯を滝のように雪崩が落ちていく。内心、自分たちが選んだ下降ルートに間違いがなかったことにホッとし、自然が創作する迫力のある光景に感動していた。時間はあっという間に過ぎていく。

七ピッチ目、夕暮れが迫った。妙子はすぐ近くまで下りてきた。靴底が頭上に接近していたのを覚えている。そろそろ次の下降ポイントを探さなければと考えているとき、雪崩が二人をまともに襲った。体全体に雪の塊が当たる。何秒も続くにぶい衝撃と水分を含んだ雪が通過する音。ビレー点ごと飛ばされるのでは……。ロープはものすごい勢いでグローブの中を抜けていく。

「妙子、止めるぞ！　止めるぞ！」

何度も叫んでいた。

数秒後、僕は生きていた。雪崩が収まって、逆さになっていた体勢を立て直し、ロープをあわてて引いてみるがまったく動かない。

「妙子！」

大声をあげるが、何も返事がない。死んでぶら下がっているのを想像し、混乱した。何度も何度も、力まかせにロープを引いた。

なんの抵抗もできないまま流されていく。自分の体がどちらを向いているかもわからないままどんどん落ちていく。泰史もビレー点ごと飛ばされてしまったのだろうか。このまま二人とも一〇〇〇メートル近く、氷河まで落ちていく。その間に意識はなくなり、死んでしまうのか——。

時間にして三秒ほどか、逆さになって止まった。途中で頭をぶつけたようだ。とにかく体を立て直さなければ。ザックを背負ったままで上向きになるのに苦労する。壁に足がつかないからだ。少しハングした岩壁帯にぶら下がっているようだ。やっと体を立て直して上を見る。

今まで自分の状況をかなり客観的に見ていたが、このときばかりは焦ってしまった。私のぶら下がっている直径七ミリのダイニーマロープが岩角で切れかかり、黄色い表皮は破れて白い芯も半分になっている。いつ切れてもおかしくない。次の瞬間にでも。

しかも泰史は、上でロープをぐいぐい引いているようだ。そんなことしたら切れてしまう。

「引かないでー」

大声で叫ぶが、声は届かない。一刻も早く、次の行動を起こさなければ……。周りを見ると、ハング帯の下右手に二メートル四方ほど、傾斜七十度くらいの氷壁がある。あそこまで行こう。

足先をなんとか壁につけて、切れかかっているロープのことは考えず、体を右に振って移動する。氷壁に届いた。両手のピッケルとアイスバイルを氷に打ち込み、足のアイゼンを蹴り込んで、体を安定させる。ここまでロープは切れずにもちこたえてくれたようだ。泰史はまだロープを引いているが、私の方の8の字結びになった末端をはずせば、状況はわかってくれるはずだ。(妙子記)

僕はそのとき、どうしたらいいんだ、本当に死んでしまったのかと思いながら、まったく見えない彼女の意識が戻ってくれることを願いながらロープを引き続けた。混乱した頭の中で、あらゆる事が次から次へと浮かぶ。意識を失っている可能性は……、死んでいる可能性は……、いつまでロープを引くか……、いつ諦めてロープを切るか……、妙子の元に下りていく方法は……、すべてを瞬時に計算するが、どれも答えが出ない。その時だ。ふっとロープの重みがなくなった。切れてしまったのか……。いや、切れてはいない。祈るような気持ちで必死にロープを引き寄せると、白い芯が剥き出しになった切れかかったロープ、その末端には8の字結びがそのまま上がってきた。

妙子が自分でカラビナを外したんだ。生きて下で待っている。すぐにロープを固定し、シングルで懸垂下降をしていくが、切れかかったロープでこれ以上進めず、またオーバーハングの下にいると思われる彼女の体も見えなかった。

「大丈夫か？」

「大丈夫」

妙子の声を初めて聞き、生きていることを再確認した。

「そこは安定しているのか」

「下は、まだ岩壁が続いている」

「一時間待っていろ。登り返してからそこに行く」

冷静にいこう。支点に向かって登り返していくとき、ふたたび雪崩が襲ってきた。

ロープをエイトカンに通していたので落ちずにすんだものの、ゴーグルは飛ばされたうえ、首から入った雪が胸や背中までパンパンに詰まってしまった。そして、ビレー点にはい上がったときは、真っ暗になっていた。ヘッドランプだ。ヘッドランプを今のうちに出さなければ。悲しいことにスイッチを入れても点かない。スノーシャワーを浴びながら震える手で電池を入れ替えようとするが、うまくいかない。冷静にいけ。予備電池を落としたらおしまいだ。ヘッドランプに柔らかい光が灯ったとき、周りは吹雪に変わり、改めて自分がとても急な岩壁にいることに気がついた。闇のなか、スノーシャワーを浴びながらも集中力は増した。淡々と作業をこなす。

ロープをダブルにすると、切れかかった部分が邪魔をして一度に一五メートルしか下りられない。三回か四回、懸垂下降しなければ、妙子に合流できないことになる。次の支点を作ろうとしていたとき、眼球が凍ったのか、ぼんやりとしか目が見えないことに気がついた。次第に幕がかかったように視力は失われて、岩に一〇センチ近く顔を近づけてもかすかにしか見えず、自分に何が起こっているのかわからなかった。岩も重要なクラックも見えない。時間はそんなに残されていないようだ。

早く下りてやらなければ……。無意識のうちに両手のグローブを脱ぎ、素手になり、かぶった雪を払いのけ、指の感覚だけで必死にクラックを探した。すぐに小指のほうから感覚は失われた。しかし、止めるわけにはいかず、ときどき指を口に含み、温め直しながら作業を続けた。

いくらピトンを打っても、岩に跳ね返される。もっと慎重にクラックのサイズを見極めなければ。スノーシャワーは激しくなる一方だった。ピトンが確実に決まったと思い、全体重でショックをかけてみると、時にはあっけなく抜けてしまうこともあった。多分、ひとつの下降地点を作るのに一時間以上かかっていたと思う。やっとできあがった支点を頼りに一五メートル懸垂下降すると、また次の支点作り。小指、薬指の感覚は、いくら口に含み、また噛んでも戻らなくなった。ふたたび素手になり、今度は中指で岩を探る。ロックピトンに限りがあるので、アイスピトンの先端をアイスバイルでつぶし、クラックに叩き込む。すべての指の感覚がなくなる前に、目がまったく見えなくなる前にと、暗闇のなか、集中力が発狂すれすれの自分を抑えている。長い経験が、ピトンを打ち込みながら、感覚を失い始めている指で方向を確かめ、打ち込まれる音を聞き分けていた。時にはロープの回収を考え、カラビナを残した。四度目の懸垂下降に移るとき、ほとんど目は見えなくなっていたが、下にいる妙子のヘッドランプの光がぼんやりと確認できた。

しばらくして、泰史がロープにぶら下がり下りてきたようで、ヘッドランプの明かりが見えた。まだだいぶ上だが、なんとか声が届く。一時間ほどでまた私の所まで来ると言い残し、上部へ戻っていった。私のいる地点の下部は岩壁帯で、ここでもロープが必要なため、一本しかないロープを回収しながら下りなくてはならないためだ。

この小さな氷にへばりついている私の手元には、ピトンもロープもない。何もできないまま、少し待っていれば、泰史がここまで来てくれ、また下降することができるのだ。

墜落したときに、左手の羽毛ミトンごと手袋が飛ばされ、手の感覚がない。泰史に細かい作業をやってもらわなければならないだろう。とにかく待っていればいいのだ。

泰史が上部に戻っていって間もなく、二、三度、雪崩が来た。ピッケルとアイスバイルにしっかりとしがみつき、なんとかやり過ごす。アイゼンで足元の氷を蹴り、少しでも平らな所を作る。五センチほどの場所を時間をかけて作り、足を横向きに置けるようにした。これで少しは足が楽になる。ぶつけたらしい頭の痛いところを目出帽の上からさわると、だいぶ血が出ているようでベトベトしている。感覚のなかった左手を見ると、真っ白になり、カチカチになっている。これはもうダメだろう。また凍傷になる。これらのことを事実として受け入れるだけで、ショックを受けているわけではない。右手の感覚もおかしい。替えの手袋をして、羽毛ミトンのない左手はポケットの中につっ込む。今、自分の体を少しでも良い状態にできることはすべてやり、後は泰史を待つしかない。

真っ暗ななか、ときどきヘッドランプを点けると吹雪いているのがわかる。気温はマイナス何度、いや何十度になっているのだろう。やがて、ヘッドランプを点けても、周りの様子や、手元の時計が見えなくなってきた。どうしたことか。高度のせいか、それとも頭をぶつけたためか。私の目は霞がかかったようになり、両目とも見えなくなってきている。

「泰史、早く下りてきてー。私の手も目も使いものにならないよー」

どれほど待っているのか、時計が見えなくてわからないが、一時間はとっくに過ぎている。あまりに寒くて体の感覚もなくなりそうだが、右手でピッケルにつかまり、ポケットに入れた左手を風に当てないようにし、ときどき、体の向きを変え、ただただ待っているしかない。

本当に気が遠くなるころ、やっと泰史が下りてきてくれた。助かった。これでなんでもやってもらえるのだ。（妙子記）

妙子に合流したときは、登り返してから四時間以上経過し、日付は変わっていただろう。手のひらを目の前、五センチにもってきてもまったく見えず、すでに体中のエネルギーを使い果たしたかのように下半身に力がなくなり、壁にへばりつけない。心臓が止まりそうだ。

「妙子、背中を叩いてくれ。死にそうだ。苦しい。叩いてくれ」

そう訴えながら、ロープにぶら下がり体をガタガタ震わせていたが、二人が何をしなければならないのかはわかっていた。

「もう目が見えないんだ」

「私もさっきから見えにくくなっているの」

どうして妙子まで目が見えないんだ。

「ここはどんな所だ？」

「岩壁の真ん中よ。あと一ピッチ下りれば、雪のテラスに着けると思うけど」

「妙子、下降支点作れるか」

「やってみる」


泰史は体をブルブル震わせている。目も見えないと言う。どうしたんだろう。ここに下りてくるまでの数時間、何があったのか。今の泰史は、私よりももっとひどい状態なのか。すべてのことを、これからはやってもらえると思っていた私は、心底、ガッカリしてしまった。溺れたところを助けられたのに、また水中に突き落とされたような気持ちだ。

しかし、落ち込んではいられない。気持ちを取り直し、行動を起こすしかない。私がやるしかないのだ。しばらく背中をたたき続けて、泰史は少し落ち着いた。作業は私がすることにして、泰史に指示してもらってここでビバークできるよう、氷にピトンを打とうとする。手元だけわずかに、ぼんやりと見える目と、カチカチに凍った手での作業はじれったいほど進まない。（妙子記）

一時間近くクラックにピトンを叩き込むが、岩が脆すぎてどれもきかない。

「全然ダメ」

「ここでビバークして明日になってから下りよう」

「テラスは作れないよ」

「今、どんな体勢にいるんだ？」

僕が指示しなければ、妙子にはビバークの態勢も作れない。

「小さな氷にぶらさがっている」

「それじゃ、アイスピトンにロープを二重に通し、ブランコを作れ」

凍傷になった手で、苦労しながら妙子は一人、作業をしつづけた。両足をぶら下げながらロープに座るころ、妙子も目が見えなくなった。

ものの数分で腰から下は完全にしびれ始め、そのうち感覚を失った。寝袋にも入れず、ヒマラヤの寒気は体を凍りつかせた。足の指を切るかもしれない。手の指も切るかもしれない。それでも明日には平らな氷河に戻れる。それだけが希望だった。

ぶら下がって一時間あまり、喉の渇きを覚える。よく考えてみると、昨晩から一杯ほどのお茶を飲んで以来、まったく飲まず食わずで休まず下降を続け、今、七〇〇〇メートルの高所の壁にぶら下がっている。とても危険な脱水状態にあるはずだ。このままでは明日、動けなくなる。

「妙子、水作ろう」

「無理よ。この体勢では」

「無理でもやってみよう」

垂壁のなか、一度、ガスコンロに火を点けることを試みたが、二人とも凍傷になった指と見えない目ではまともに作業ができず、誤ってライターを落としてしまった。今夜は一杯のお茶を飲むことすらできない。さらに二人ともほとんど目が見えない。ぎりぎりに追い込まれ、そのうえ希望を繋ぎ止めてくれるものさえない。もう予備マッチを落とすことは許されないし、凍った指でザックの底から探す気力もない。岩に張りついた氷のかけらを口に含み、わずかに喉の渇きを癒した。べースキャンプにある暖かなシュラフと食べ物を思いながら、徐々に思考能力の低下とともに二人とも二時間ほど意識が薄れた。

3

十一日、また生きて朝を迎えられた。妙子はあいかわらずほとんど見えないが、僕はかすかに左目が回復した。が、足の感覚はまったくなかった。すごい光景だ。こんな壁に二人ともぶら下がっていたのか。二人が置かれていた状況があまりにも異常だったため、他人事のように感じてしまう。現実を受け止めるにはあまりにも厳しい状況だった。

今日こそ安全で平らな場所で寝られる。まだ使える親指と人差し指で、一人淡々と懸垂下降の準備をしたが、芯まで固まった体では動作はぎこちなく、ゆっくりだった。ミスを犯すな。昨日と同様、短い間隔で三回の懸垂下降をした後、初日、登ってきた雪壁に下り立った。そのとき、太陽が久しぶりにこの北壁に当たり、ほんのつかの間、僕達二人にエネルギーと希望を与えてくれたが、ほっとする間もなく、また急速に雲が広がり、雪を降らせ始めた。

六十度近い雪壁は前向きでは下りられず、一歩一歩、両手のピッケルとアイスバイルでバランスをとりながら下り続けた。ホワイトアウトのなかでは斜面と空間の境がはっきりせず、何度もバランスを失いかけた。アイゼンに付いた雪の塊を落としては、傾斜を確認し、下降しつづける。なんてのろいんだ。時間はあまりにも早く過ぎていく。ギャチュン・カンは、そんな二人に無関心のように静まりかえり、次に試練をしかける準備をしている。早く退却しなければ、今度こそ生きて帰れない。はっきりと記憶に残っていた六七〇〇メートルの難しいミックス帯では、ぎりぎり妙子を接近させ、足の置き場を指示し、下降しつづけた。そこを通過するころには、早くも午後になっていたと思う。ギャチュン・カン氷河まで標高差七〇〇メートルのルンゼに入り込むと、脱力感はあるものの、酸素が濃くなったせいもあり、少しテンポがよくなりスピードが上がった。

雪はまた強く降り出す。ふとあるとき、後ろについてきたはずの妙子が見えなくなっているのに気がついた。一時間待っても下りてこない。空からひっきりなしに落ちる雪片を見ながら、僕はぼんやり考えていた。

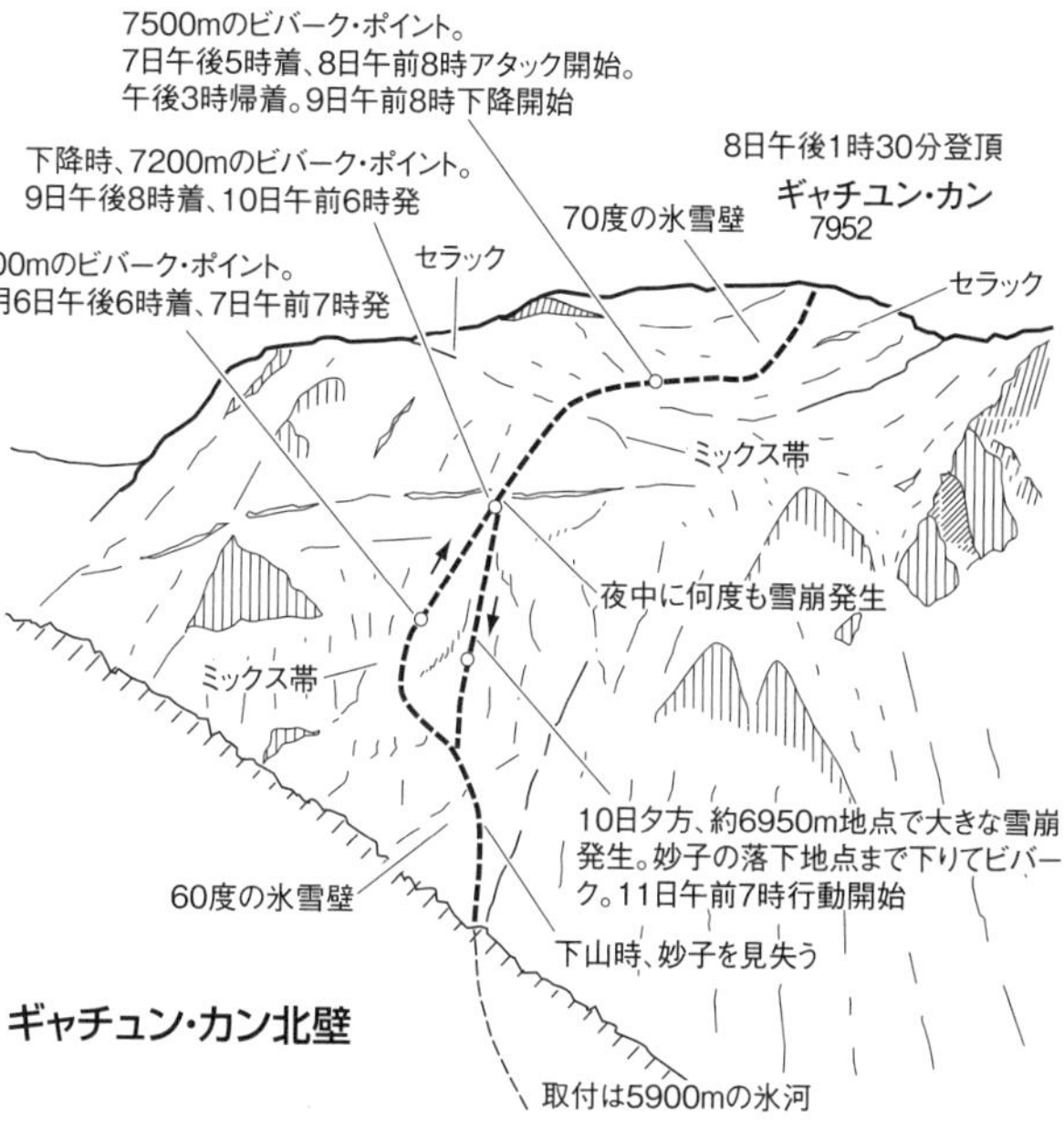
7500mのビバーク・ポイント。
7日午後5時着、8日午前8時アタック開始。
午後3時帰着。9日午前8時下降開始
8日午後1時30分登頂
ギャチュン・カン
7952
下降時、7200mのビバーク・ポイント。
9日午後8時着、10日午前6時発
70度の氷雪壁
7000mのビバーク・ポイント。
10月6日午後6時着、7日午前7時発
セラック
セラック
ミックス帯
夜中に何度も雪崩発生
ミックス帯
10日夕方、約6950m地点で大きな雪崩発生。妙子の落下地点まで下りてビバーク。11日午前7時行動開始
60度の氷雪壁
下山時、妙子を見失う
取付は5900mの氷河

ギャチュン・カン北壁

「なぜ、ここまで来て僕はミスをしてしまったのだろう。もうすぐ平らな氷河に下り立てるのに。こんな場所で妙子が死ぬはずはない」

雪はますます強くなり、西風もまた吹いてきた。一見すると大きなルンゼに思えるが、実は小さな尾根をはさんでルンゼが枝分かれしている。どこかで迷ってしまったのか。それとも落ちてしまったのか。どちらにしてもここからは確認しようがない。取付まで下降し、北壁から少し離れた位置でなければ見つからないだろう。

ピッケルのピックを雪面に突き刺し、腕に力を込め、滑落停止の体勢をとりながら急斜面をスピードを上げ下りていく。青氷の上を滑り落ち、小さなコブを飛び越え、まさに滑落と同じスピードで一気に三〇〇メートル、北壁取付付近まで滑り落ちる。

ベルクシュルントが近い、スピードを落とせ。呼吸を整えるため立ち上がると、なんと氷河上に点在する大きな石の上に、ギャルツェンらしき人が腕を頭の後ろで組んで、私を眺めている。さらに滑り下りると、一面真っ白な雪に覆われた氷河をギャチュン・カンを目指して三、四人ラッセルして登ってくる。また、大型テントも見える。心配して迎えにきてくれた。やっとお茶が飲める。どんな食べ物を用意してくれているのだろうか。どんな会話をしようか……。

ベルクシュルントを飛び越え、氷河上に下り立った。北壁から脱出したのだ。しかし、石の上に見えたはずのギャルツェンはいなかった。彼らの踏み跡はどこにあるんだ……。さまよいながら彼らのトレースとテントを探したが、どこにもなかった。

北壁を振り返ると、二〇〇メートルほど上部を妙子がゆっくり下りていた。ずいぶんと岩が多いところを下りているように見える。本当にあれは人間か……。無気力状態のまま北壁を眺めていると、いろいろな所で人間が動いている。ふと、人の気配を感じた。そのとき、イスラム圏らしき浅黒く髭をはやした長身の男が目の前に現われた。

「何をしに来ているの？　上にいるのは誰？」

と聞くと、

「登山訓練に来ている」

私は必死に、回転のしない頭で英語で会話する。彼らは上に消えていった。これで安心だ。妙子も氷河に下りて来られる。

下山中見えた大型テントはどこにあるのか。少しラッセルするがテントはもちろん、トレースも発見できず、ザックの上に座り込み、雪つぶてが目の前を通過するのを眺めていた。

夕べからほとんど見えなくなった目は、今日も回復しない。なんとなく白いものが見え、足元くらいはぼんやりわかる。天気がいいのか悪いのかもわからない状態だ。泰史のトレースを追いながらひたすら下りてきたが、いつの間にか離れてしまった。

斜面が固くなって、たよりにしていた足跡が残っておらず、異なる方向に下りてしまったのかもしれない。

「泰史、泰史」

何度も立ち止まり、泰史を呼ぶが、返事は返ってこない。先に下りてしまったのだろうか。少し不安になるが、ここからはだいたい真下に向かえば取付に戻れるはずだ。途中で傾斜がかなりきつい箇所があることと、ベルクシュルントが開いていることが気がかりではあるが、とにかく下るしかない。何日も食べていない疲れで、私の体力はどれほど残っているのだろうか。

今は傾斜のきついところを壁に向かってクライムダウンしているので、重力を利用して下りてこられるが、そろそろ限界が近づいているかもしれない。スピードは出ないが、足を下に動かしていると、数日前に登ったところとは明らかに違う、岩が何箇所も出ている場所に来てしまった。また泰史を呼んでみると、やっとずっと下の方から返事が返ってきた。


（妙子記）


北壁のベルクシュルントの脇を妙子が下りるのがわかった。これで本当に安心だ。

「泰史、泰史。いるの？」

「もっと右だ。右に行けば俺のトレースがある」

どこにこんな力が残っていたのか、大声で叫び合う。ずいぶん待たされたが、取付に下り立った妙子がこちらに近づいてきた。しかし、少し目を離したすきに小さな尾根に隠れてしまったのか、また見えなくなってしまった。

今度は一〇メートルも離れていないところに男は現われ、僕をじっと見ている。彼から目を離さず、「妙子がいないけど」と聞くと、「今、トイレに行っているから」と、返事が返ってきた。なぜ彼は食事を与えてくれないんだ。

何分か過ぎただろう。やっと妙子が合流した。

「何人か登っていっただろう。四、五人くらいだ」と聞くと、「いるわけないじゃない」という答えが返ってきた。本当にいなかったのだろうか——。自分の頭がおかしくなったとは思えなかった。確かに見ていたし、会話もした。

不思議な感覚のなか立ち上がり、テントのフライなどのデポ品を探し、ももまで潜るラッセルをまた開始した。モレーンが盛り上がったところにある一メートル四方の岩が目印だ。自分の記憶に自信はないものの、突き進む。

三十分後、ここだ。雪をかき分けるとビニール袋が出てきた。宝物がここにはたくさん入っている。チョコレートも入っている。彼女はかなり遅れ、数歩、歩いては立ち止まり、胃液を吐きつづけながらやってきた。破れたテントは七〇〇〇メートルのビバーク地点から落としたが見つからなかった。しかし、ここにはテントのフライがある。ポールを雪面に突き刺し、フライをかぶせ、ロールマットを雪の上に敷いた。こんな素晴らしいホテルはない。ロープによる確保もいらないし、もう下に落ちることもない。今夜は六日ぶりに安全な平らな場所で眠れるのだ。濡れているシュラフとはいえ、天国のようだ。残しておいたチョコレートをひとかけ食べる。この甘みはなんと表現したらよいのだろう。コッヘル一杯のミルク紅茶を作ったところで、ガスは無情にもなくなり、アルファ米を茹で戻すこともできず、食べるのを諦めた。それでも明日にはベースキャンプに戻り、ゆっくりと暖かなシュラフで眠れることを確信し、安心しきっていた。彼女はわずかに紅茶を口にすることができたが、もはやチョコレートなどの固形物は受けつけない状態が続いていた。

十二日、二人とも本当によく寝た。太陽光線のあまりのまぶしさに、起きたときは昼の十二時を回っていた。残念ながら僕の右目はあいかわらず見えなかったが、妙子の目は回復した。通常ならばここからベースキャンプまで五時間。疲労しているとはいえ、夜には着くだろう。ガスは残っていないので、飲み物がとれないまま、二人ともカチカチになった両手で苦労しながらザックにパッキングし、午後二時、ベースキャンプに向けて出発した。

どうしたんだ。なんで歩けないんだ。すぐに自分たちの考えの甘さに気がついた。この遠征中で、もっとも大量に積もった雪に何日も痛めつけられた体はまったく言うことを聞かなかった。妙子は数歩ごとに座り込み、五日以上ほとんど何も口にしていない体から胃液だけを吐きつづけ、表情は昨日よりもはるかにやつれ、精気がなくなっていた。トップで雪をかきわける僕も、十分歩いては休まなくてはならず、後ろを振り返ればほとんど進んでいない足跡と、頭を落としながらついてくる彼女がいた。自分たちの力のなさに愕然としてしまう。

三十分で着けると思っていたトレッキング・シューズのデポ地点まで二時間かかってしまった。このまま一〇キロのザックをかついで歩くのはもはや無理だ。うなだれ、ふらふら歩いてきた妙子に、こう言った。

「ザックをここに置いていこう」

「大丈夫、持って帰れるよ」

「俺のトレースさえ追えないじゃないか。自分が死にそうなのがわからないのか」

「アルファ米だけ持っていこうよ」

少し言い合いになった。ヘッドランプをダウンジャケットのポケットにねじ込み、ダウンのミトンを装着した凍りついた手でかろうじてストックを握りしめ、ふたたび氷河を歩き出す。今日中に着けなかったら、妙子は死ぬかもしれないと漠然と思っていた。

複雑で登り下りの激しい氷河、わずかな記憶を頼りに歩いていくと、水の流れるかすかな音がする。雪面に耳を近づけ、音を聞き分け、雪を掘ると、硬い氷が出てきた。必死に石で底を割る。頭を穴に突っ込み、水をすすった。乾燥しきった口から冷たい水が一度に胃にしみわたる。激しい胃の痛み。また、水を飲む。妙子は、もう水を受けつけられないほど弱っている。

氷河を半分も行かないうちに、いつの間にか日は沈んだが、幸運なことに月明かりで歩くことはできた。道を間違えるな。疲労するような歩き方をするな。一歩一歩がベースキャンプに生還するために重要なのだ。

午前二時、月は山に隠れ、光は消えた。そしてついに妙子も動けなくなった。残念ながらビバークだ。少しでも風を避けなければ、わずかに残っているエネルギーも持っていかれる。氷河上の風の当たらない大岩の奥で、僕達は抱き合いながら、シュラフもツエルトもない着の身着のままのビバークに入った。僕も本当に弱り、内臓まで冷え切り、ガタガタと体を震わせ、涙を流しながら胃液を吐いた。妙子は力なく、弱々しく胃液を吐いている。

「生きて帰れたら、『死のクレバス』よりすごいストーリーだな」

「そうね。寝ても死なないかな……」

「大丈夫だろう」

時間よ、早く過ぎてくれ。朝日さえ昇れば……。

時折、「妙子、生きているか」と声をかけても返事がない。死んでしまったかと思い、体を揺すると生きている。永遠に続く暗闇の時。冷気により、筋肉と骨がギシギシと痛み、いくら手のひらやももをマッサージしても無駄な努力なのか血行はよくならない。震え、涙を流し、吐きつづけた。

一時間ほど寝ただろうか、いつの間にか空が白み始めている。雲ひとつない晴天だ。生還するための最後の闘い。能力を限界まで引き出さなければ……。死ぬのなら、ベースキャンプでだ。

僕達は立ち上がった。妙子は油の切れたロボットのような動きで数メートル歩き、座り込む。

「俺は先に行ってギャルツェンを呼んでくる。ゆっくりでいいから歩け。焦ることはない。道を間違えるな」

彼女は、ほとんどまともに歩くことができないほど弱り切っていた。別れるとき、彼女の写真を数枚撮った。もしかしたら生きている妙子を見られるのも最後になるかもしれないと思って……。大きな石が重なり合っている場所では、不安定きわまりない歩きだ。しかもまったく感覚のない足で。彼女なら大丈夫だ。長い経験と、あの生命力。夕方にはまた会えるだろう。

「おまえがベースキャンプにたどり着けなかったら、すべて終わりだ。ケルンを探せ。無理な動作はやめろ。最後まで命の炎を燃やそう」

懐かしいケルン。一カ月前、苦労して作った道。記憶に残る苔たち。歩け、歩け。太陽の光が僕をとらえた。すばらしい恵み。また力が戻ってきたのがわかった。大腿部に力が入る。上半身に暖かさが。一〇メートルほどのモレーンを上がると、はるか彼方にベースキャンプのテントが見える。

「ギャルツェン、ギャルツェン」

いつもの彼なら、この場所に現われた僕達のために温かい飲み物を用意してくれるはずだ。

「ギャルツェン、登頂したよ。僕達は大丈夫だ。心配かけたな」

どんな会話をしようかと思い巡らしていた。谷に下り、再び登り返す。

「ギャルツェン！」

もう一度叫ぶ。

一瞬、愕然とした。僕達の個人用テントはなく、キッチンテントだけが立っている。誰もいないのか……。どうなっているんだ。ギャルツェンは帰ってしまったのか。ベースキャンプより先まで、さらに僕に歩けと言うのか。そろそろ僕の気力も限界だよ。もうおしまいにしたい。懐かしいボルダーが見える。登山が終わったら、あそこで遊ぼうと思っていたのだ。もう誰もいなくてもいい。ベースキャンプにたどり着ければすべて終わる。二人の登山は終了するのだ。さあ、止まるな。歩け。力を出せ。最後の登り、一〇〇メートルの距離でベースキャンプだ。

ふと見上げると、二人のチベット人とギャルツェンが亡霊を見るように立っていた。彼らは僕達が確実に死んでしまったと思っていたらしい。

「疲れたよ。生きていたんだ。妙子を迎えに行ってくれ。ギャチュン・カン登ったよ」

ギャルツェンは泣いていたが、私は微笑んでしまった。

彼らによって慌しく個人用テントが立てられ、ケロシンストーブに火が点けられ、食事の準備が始められた。三時間後、妙子はチベット人に背負われてベースキャンプに帰ってきた。本当にすべてが終わった。無惨にも色が変わった手足の指。彼らはそれらから目を背け作業を続けているが、僕は生還できた代償をまじまじと見ながら、いつになったら登攀の世界、山の世界へ戻れるか考えていた。

ギャチュン・カンはアタック前とまったく変わらず雪煙を上げ、堂々とそびえたっていた。

あとがき

　この本は、僕が実践してきた世界各地での登攀のなかから、十二年間に十八回も挑戦しつづけたヒマラヤの高峰について書いたものです。

　最初はどのクライミングを選ぶか、ずいぶんと悩みました。ガウリシャンカールでのチベット人との交流や、技術的にもっとも満足したと言えるクスム・カングル東壁の単独登攀も印象深い素晴らしい体験でしたが、この本には書けませんでした。残念ながら、素晴らしい出来事をうまく表現できなかったのです。

　実は、このあとがきを暖かな伊豆の城ヶ崎で書いています。城ヶ崎では一日おきに断崖を登っているのです。以前も苦労していたルートが登れると、僕は、やっぱり天才かなと思ったり、簡単なはずのルートが登れないと、まだまだ力が足りないなーと落ち込んだりしています。指が全部そろっていたのも、もう一年も前のことなので、以前のように懐かしく思い出すこともありません。

この一年を思い返すと、毎日が本当に充実していた気がします。退院後、初めて登った奥多摩の御前山では、どれだけ僕が山を愛していたかを改めて感じさせてくれました。日本で生活していながら訪れる機会がなかった山にもずいぶんと行くことができました。屋久島や飯豊連峰などの山々は、僕にエネルギーを吹きこみ、空っぽになりかけていた体に新たな力を与えてくれたのです。

そして岩場にも挑戦するようになりました。岩を登ることは、やはり心躍ることです。上達の速度はとても遅いものの、体で成果を感じられるのはとても嬉しいことです。

具体的には書けない夢を、今、見始めています。

五年ほど前から、写真集のなかにある中国の大岩壁を気にかけていました。こんな大岩壁が登れたらなーと、いつも思っていたのです。

それが先日、友人と中国の四川省にトレッキングに行ったとき、偶然にもあの大岩壁を発見したのです。実物は、当然と言うべきか、とても魅力的でした。そのとき、もしかしたらこれは登れるかもしれないと思い、無我夢中で見つづけました。

そして今、いつの日か挑戦してみようと思っているのです。今年がダメでも来年に、来年がダメでもいつかは……と思っています。幸運なことに、僕には若いときから蓄積してきた知識と経験があり、なによりもやる気があるのです。あの大岩壁のことを頭の中で思い巡らすとき、僕の胸はさわやかな鼓動を打つのです。

誰もが夢中になれることに出会えるとは限りませんし、それを追求できない生活環境の人もいると思います。僕はもしかしたら、とても恵まれているかもしれません。小さいときに登ることに出会え、心の底から幸せな人間だと思っています。これからも夢を大切にして憧れを持ちつつ、登りつづけていきたいと思います。

山野井泰史

二〇〇四年二月

文庫のあとがき

『垂直の記憶』を書いてから六年の歳月が流れましたが、今回、文庫本になるということで、改めてあとがきを書くことになりました。単行本が予想外に多くの人に読んでいただいたので、はたして文庫本を手にする人がいるのかは疑問ですが……。また、最近は実力もないのに名前ばかりが先行しているようで、これで文庫として改めて出版されると、ますます恥ずかしさも倍増しそうです。

さて、あれからの僕を書きたいと思いますが、相変わらず登り続ける日々で、海外へも何度も出かけています。

偶然に出会えた中国は四川省のポタラ北壁。二〇〇四年、成功すれば復活への手がかりをつかめるのではないかと、期待しながらアタックしたものの半分も登れず敗退しました。それでも再度挑戦した翌年のポタラ北壁、雨に打たれながらも垂直の壁を七日間かけて単独で登りきりました。まさに全力を出し切った登攀でした。

頂上稜線の岩に腰を下ろしたときは、霧で景色は見えませんでしたが、クライマーとして死んでいなかった、クライマーとしてまだ夢が見続けられると強く感じられた瞬間でした。

二〇〇七年には長い間憧れていたグリーンランドへも向かいました。若い頃からグリーンランドに興味を持っていたものの、ヒマラヤなどの高峰への挑戦が多く機会を失っていました。理想としていたスピードのあるフリー・クライミングではありませんでしたが、北極圏の大自然に囲まれながら誰も触れたことのない岩壁を登り続け、冷たい風が吹き抜ける夜に頂に立つことができたのです。頂上には再起は難しいと思われた妻も一緒でした。それ以外にも、スコットランドでのアイス・クライミング、キルギスの花崗岩の大岩壁、オーストラリアの美しい岩と可愛い動物たちなど、多くの素晴らしい思い出を作っています。

普段楽しんでいるフリー・クライミングはまさに一喜一憂する毎日です。現在でも初心者が練習するような岩も登れないときがあります。そんな時はさすがに悔しく思ったりします。しかし、指の切断直後には奇跡でも起きなければ無理だろうと考えていたグレードが登れたりもするのです。そんな時は望みを捨てず向上することを目指せば実現できるんだということを感じます。

しかし、いまだに悪戦苦闘を続けていることもあります。それは二十年近く情熱を傾けてきた雪と氷、そしてヒマラヤなどの高峰の世界での登攀です。たとえば八ヶ岳の小さな氷でさえ緊張を強いられ、以前ならばロープも使わず上り下りしていたルートでさえ必死です。ピッケル、アイスバイルの先端はいまだにうまく氷を捉えてくれません。

二〇〇九年は二年間温めていたチベットの七〇〇〇メートル峰に単独で向かいました。しかし、頂ははるか遠く、諦めて下山しました。長い氷河を疲れ果てながら下山している時、努力しても以前のように巧みに山の上で動けないと実感したのです。それは確かに辛い時間でした。それでも、雲を突き抜けるような高峰への思いは忘れられませんし、わずかな可能性かもしれませんが希望は持っています。

この夏はアメリカでフリー・クライミングをしていましたが、一本だけ心残りのルートがあります。美しくオーバーハングした岩、あのルートのことを思い返すと胸が騒ぎます。トレーニングして絶対に再挑戦しようと思うのです。嬉しいことにどんなに能力が落ちたとしても、憧れる山や岩や氷が頭に浮かんでしまうのです。

そして登っている瞬間こそが一番幸せなのです。登り続けていられるだけで幸せなのはこれからも続くでしょう。だから命ある限り、足を前に出し岩をつかみ、上を目指していきたいなと僕は考えています。いつの日か『垂直の記憶』の第二弾が書けるくらいたくさんの登山を続けているかもしれません。そのときまで、さようなら。

山野井泰史

二〇一〇年夏

解説　持続する心

後藤正治

新宿からJR中央線に乗って西へと向かい、立川で青梅線に乗り換える。駅に着くたびに乗客の数は減り、終着の奥多摩駅では数人となっていた。駅前から車に乗って数分。奥多摩町境。住所の上では都内ではあるが、ひっそりとした山村の気配がする。トンネルを抜け、杉林に囲まれた細い山道を下っていく。ふっと前をさえぎる動物が一匹。狸だった。多摩川の源流が流れる谷底近く、農家風の、朽ちかけた一軒家がぽつんと建っている。山野井泰史、妙子夫妻の住まいである。

登山家・山野井泰史。国内で最強、世界を見渡してもオリンピックでいえばファイナリストに入るクライマーとしてその名を耳にしていた。妙子もまた屈指の登山家である。

メディアでは〝五大陸最高峰連続登頂〟といったニュースが伝えられやすいが、

山野井のそれは別次元といってよい。

　三十代前後からの主たる登攀歴を追えば、チョ・オユー南西壁（チベット）新ルートにより単独初登、レディーズ・フィンガー南壁（パキスタン）初登、マカルー西壁（ネパール）敗退、ガウリシャンカール北東稜（チベット）敗退、クスム・カングル東壁（ネパール）新ルートにより単独初登、マナスル北西壁（ネパール）敗退、K2南南東リブ（パキスタン）単独初登……。いずれもヒマラヤ山系に聳えるビッグウォールであるが、未踏ルートの無酸素、多くは単独（ソロ）という条件下での登攀である。ふと戦慄を覚えるものがある。文学でいえば純文学といえようか。

　もの静かで穏やかな人だった。そのことは意外ではなかった。いわゆる冒険家と呼ばれる人にも出会ってきたが、本物の冒険家はおしなべてそのような風情の人であったからである。それにしても、穏やか過ぎるとはいえようか。

　和室二つと台所。窓の向こうの杉林は斜面に見える。どうやら家自体が谷底に向かって傾いているようでもある。

　居間で、ちゃぶ台を挟んで向かい合う。澄んだ眼差しの、きりっとした顔立ち。

微かに笑みを浮かべた口もとから、問いへの答えが返ってくる。しばしば「……のような気がします」という語尾がつく。誇張もなければ韜晦《とうかい》もない。自慢話に類することは皆無であった。

静かだった。部屋にテレビも置かれているが、滞在中、点けられることはなかった。新聞は取っていない。電話もこちらからかけることはめったにない。燃料はプロパンガス。風呂は灯油でわかす。車はもう廃車にするという知人から譲り受けたものとか。

妙子は家事一般をマメにこなす。ただし、薪割りは山野井の役割とか。ふと思って訊いた。

——生活費はいくらかかります？

「必ずいるのは家賃ですよね。これが二万五〇〇〇円で、あと、なにかなぁ、妙子、どうだった？」

「さあ……、一万円を超すのは二人の生命保険だけでしょうか。お米は滋賀の実家から送ってもらっているし、おかずだってなければ近くに生えているものを摘んでくればいいし……。山から下りて泰史が食べたがるのも大盛りのチャーハンだしね」

そういわれた山野井は、ふっふっふっと笑った。生活費は月十二、三万円もあれば十分とのことだった。

谷底に近い家。夕暮れははやい。かまどで炊いたご飯。近くの山で摘んだ山菜や竹の子を煮たもの。質素ではあるが、仲むつまじい二人の、夕べの食卓だった。

夜がふけ、隣の部屋に布団が敷かれる。風呂に入り、川の字になって寝た。多摩川のせせらぎを耳にしながら、久々、私は心地よい眠りに落ちていった——。

初訪問は二〇〇一年六月のこと。雑誌『アエラ』の「現代の肖像」での取材であったが、掲載が済んでからも、短い評伝にまとめたく思い、何度か当地を訪ねた。

奥多摩の駅を降り、この家に到着するといつもほっとするものを覚えた。取材という目的はあったけれども、なんだか心地いいのである。そのために足を運んでいる感もあった。

振り返っていえば、それは、静かな山村のたたずまいと相まって流れてくる、透明で、無償の精神に触れた心地よさであったように思えるのである。

いつか、「山野井さん、ご自身のことを書かれてはどうですか」と口にしたと記憶する。第三者が書く評伝と自身が記す「自伝」は位相を異にする。評伝を書く列に加わりつつ、この登山家の自伝は一読者としてぜひ読みたいと思ったからである。山野井は「うーん、そうですね……」と言って言葉を濁したが、およそ三年後、本書『垂直の記憶』として実現された。

感慨深い本だった。

読後、まず思ったのは、神様が与えた休暇によって生まれた本、ということだった。

本書の第七章「生還」では、ギャチュン・カン北壁への登攀行が記されている。ネパールとチベット国境にある七九五二メートルの難峰である。山野井は登頂したものの、帰路は壮絶極まる道のりとなった。死線をさまよい、紙一重で生還を果したものの、手と足を合わせて十本の指を失った。妙子もまた深い傷を負った。帰国後も長い治療と養生の日々を強いられることとなったが、その間の時間が本書執筆に充てられた。災禍によって本書が生まれたともいえる。

もうひとつは、山野井への取材を行ないつつ、残っていた空白の部分が埋められたように思えたことである。

なぜ山なのか——。古くからある問いであるが、山野井に向けられるものとしてはあまり意味あるものとは思えない。そういう世界で充足を覚える資質の由来は、彼自身、うまく説明できないものであろうから。

取材中、私は口には出さなかったが、やはり問うてみたいことではあった。本書でその答えに当たる部分がなくはない。

〈……なぜそんなにもモチベーションを持続できるのか疑問に思う人がいる。それについて僕自身が分析することは難しく、実際、うまく答えを見出せない。なぜ子どもが遊びに夢中になり、甘いものをほしがるのか、理由がよくわからないように……。僕は、空気や水のように重要で、サメが泳いでいなければ生命を維持できないように、登っていなければ生きていけないのである〉

さらに発してみたい問いは、その「死生観」であろう。ギャチュン・カン以前でいえば、妙子と向かったマナスルも九死に一生を得た登山行だった。もう山はこりごりというのが通常の感覚であろう。けれども彼は山をやめなかった。ギャチュン・カン以降もまた——。

取材ノートから、山野井が死について語った部分を拾い出せばこうなる。

「死ぬことを怖れない人間ではもちろんない。ただ、どこかで自分の死というものを組み込んで生きてきた点はありますよね。たとえばマカルー西壁とか、究極の登山ができたら、そこで死んでもまあいいかと思ってきたところはある」

「とにかく山は悪くないのですよ。山は素晴らしいし、登るべきものとして僕の前にある。その過程で起こることは仕方ないといってしまえばなんだけど、究極、仕方ないとは思うのですね。少なくとも僕のなかでは悲しいできごとではない」

本書のなかでは、言い方はことなるが、重なることがつづられている。

〈かりに僕が山で、どんな悲惨な死に方をしても、決して悲しんでほしくないし、また非難してもらいたくもない。登山家は、山で死んではいけないような風潮があるが、山で死んでもよい人間もいる。そのうちの一人が、多分、僕だと思う。これは僕に許された最高の贅沢かもしれない。僕だって長く生きていたい。友人と会話したり、映画を見たり、おいしいものを食べたりしたい。こうして平凡に生きていても幸せを感じられるかもしれないが、しかし、いつかは満足できなくなるだろう。ある日、突然、山での死が訪れるかもしれない。それについて、僕は覚悟ができて

いる〉

付け加えるべきことはないと思う。

治療の日々、山野井夫妻は墨田区向島にある白鬚橋病院に入院していた。この医院には凍傷治療では定評のある医師がいる。まだ切断された手足の指に厚い包帯が巻かれていたころであったが、私は見舞いに訪れた。山野井は院内を車椅子に乗って移動していたが、元気そうであった。いつものスマイルがよく洩れた。

この場で言葉として聞かれたわけではなかったが、はっきりと感じられるものはあった。彼はまた山へ――これまでとは異なる次元の山になるにせよ――向かうだろうということである。

予感は裏づけられた。

傷が癒えてのち、耳にしてきた登山行を記せば以下の通りである。

二〇〇四年九月、中国・四川省西方にあるポタラ北壁を目指すが、完登はできず／同年十月、ギャチュン・カンへクライミング用具の回収に向かったが、氷河の変化が激しく、持ち帰ることはできなかった／二〇〇五年一月、谷川岳一ノ倉沢、八ヶ岳などの氷壁を登る／同年二月、北海道・層雲峡の氷瀑を登る／同年五月、穂高岳・屏風岩を登る／同年七月、ポタラ北壁に単独登頂……。さらにその後、ヒマラヤ、グリーンランド、キルギスの山々へと足を向けている。

先鋭登山におけるファイナリストとしての山野井泰史は終わった。けれども、プレーヤーはグラウンドを去ってはいない。いま現在の条件下で、自身にとってぎりぎりの目標を設定し、それに向けて肉薄するという志向はなんら変わっていない。

山野井泰史の〝マカルー西壁〟への挑戦は止むことなく持続されている。

（ノンフィクション作家）

山野井泰史——年譜

1965年 0歳 東京に生まれる。
1976年 11歳 映画『モンブランの挽歌』に感動する。
1980年 15歳 日本登攀クラブに入会する。
1981年 16歳 北岳バットレス第4尾根登攀。明星山「愛のスカイライン」フリー・ソロ。
1982年 17歳 谷川岳一ノ倉沢中央カンテ、凹状岩壁、変形チムニーをフリー・ソロ。
1984年 19歳 ヨセミテ、ハーフドーム北西壁「レギュラー」、「セパレートリアリティ」（5・11d）など。
1985年 20歳 城ヶ崎「スコーピオン」（5・12a）、「ビッグマウンテンダイレクト」（5・12a）開拓。
ヨセミテ「テイルズ・オブ・パワー」（5・12b）などを登攀。
1986年 21歳 城ヶ崎「マリオネット」（5・12a）開拓。
ヨセミテ「コズミックデブリ」（5・13a）、エル・キャピタン「ゾディアック」登攀。
1987年 22歳 コロラド「スフィンクスクラック」（5・13b）登攀。
エル・キャピタン「ラーキングフィア」単独第3登。
ドリュ西壁「フレンチダイレクト」単独初登。

1988年 23歳 冬季甲斐駒ヶ岳赤石沢Aフランケ～Bフランケ～奥壁左ルンゼ単独登攀。
バフィン島トール西壁（5・9 A4）単独初登。

1989年 24歳 小川山「クレイジージャム（5・10d）、「最高ルーフ」（5・10d）、「ラブ・イズ・イージー」（5・11a）などをフリー・ソロ。
パタゴニア冬季フィッツロイ単独、敗退。

1990年 25歳 パタゴニア冬季フィッツロイを単独初登。

城ヶ崎（5・12a）～富士山一合目から往復～八ヶ岳大同心大滝23時間踏破。

横尾～屏風岩1ルンゼ～4峰甲南ルート～前穂高～横尾、冬季単独23時間踏破。


1991年 26歳 冬季谷川岳一ノ倉沢滝沢第3スラブ単独登攀（出合～稜線を2時間30分）。

韓国トワンソン氷瀑完登。

パキスタン、ブロード・ピーク（8047メートル）登頂。キャシードラル南壁、敗退。


1992年 27歳 谷川岳一ノ倉沢烏帽子奥壁ダイレクト単独初登。明星山「マニフェスト」単独初登。

ネパール、メラ・ピーク西壁ダイレクトルート単独、敗退。

冬季アマ・ダブラム西壁新ルートより単独初登。

1993年 28歳 パキスタン、ガッシャブルム4峰（7925メートル）東壁に単独、敗退。

パキスタン、ガッシャブルム2峰（8034メートル）登頂。
1994年 29歳 明星山「キャプチュード」単独初登。マッターホルン北壁登頂。
チベット、チョ・オユー（8201メートル）南西壁新ルートより単独初登。
1995年 30歳 ヨセミテ、エル・キャピタン南東壁、「ロスト・イン・アメリカ」（5・10 A5）登攀。
パキスタン、レディーズ・フィンガー（5・10c A3＋）南壁初登。
1996年 31歳 谷川岳一ノ倉沢6ルンゼ左俣、冬季単独初登。
ネパール、マカルー（8463メートル）西壁単独、敗退。
1997年 32歳 アメリカをフリー・クライミング・ツアー、ヨセミテなどで5・13aまで登攀。
ペルー、ワンドイ東峰東壁登頂。
チベット、ガウリシャンカール（7134メートル）北東稜、敗退。
1998年 33歳 冬季谷川岳一ノ倉沢衝立岩オーバータイム単独初登。
ネパール、クスム・カングル（6367メートル、80度、5・9）東壁新ルートより単独初登。
ネパール、マナスル（8163メートル）北西壁、敗退。
1999年 34歳 パキスタン、ソスブン無名峰（6000メートル、70度、5・7 A1）遠征。
2000年 35歳 パキスタン、K2（8611メートル）南南東リブから単独初登。
2001年 36歳 御岳「クライマー返し」（初段）。

パキスタン、ビャヒラヒ・タワー（5900メートル）南ピラー（5・10 A2）初登。
2002年 37歳 アメリカ、ダイアモンド・ウォール、グランド・ティートンなどを登攀。
チベット、ギャチュン・カン（7952メートル）北壁第2登。
2004年 39歳 中国四川省、ポタラ北壁に単独、敗退。
2005年 40歳 瑞牆山「現人神」（5・12d）。
中国四川省、ポタラ（5428メートル）未踏の北壁を単独登攀。
2006年 41歳 アメリカ、ウィンドリバー、ブラックキャニオンなどでクライミング。
ネパール、パリラプチャ（6017メートル）北壁敗退。
2007年 42歳 グリーンランド、オルカ（1200メートル、5・10 A2）初登攀。
西上州、一本岩初登頂。
2008年 43歳 谷川岳一ノ倉沢烏帽子奥壁大氷柱。
キルギス、ハンテングリ（7010メートル）登頂。
ロシア、ロシア正教100周年峰（4250メートル）登攀。
2009年 44歳 チベット、カルジャン（7216メートル）南西壁単独、敗退。
2011年 46歳 パキスタン、タフラタム（6651メートル）北西稜敗退。
2013年 48歳 ペルーアンデス、プスカントゥルパ峰（5410メートル）南東壁新ルート初登攀。
2017年 52歳 インド・ザンスカールのルーチョ（6000ートル）東壁から初登頂。

垂直の記憶――岩と雪の7章

二〇一〇年十一月十五日　初版第一刷発行
二〇二四年十月二十五日　初版第十二刷発行

著　者　山野井泰史
発行人　川崎深雪
発行所　株式会社　山と溪谷社
郵便番号　一〇一―〇〇五一
東京都千代田区神田神保町一丁目一〇五番地
https://www.yamakei.co.jp/

■乱丁・落丁、及び内容に関するお問合せ先
山と溪谷社自動応答サービス　電話〇三―六七四四―一九〇〇
受付時間／十一時～十六時（土日、祝日を除く）
メールもご利用ください。
【乱丁・落丁】service@yamakei.co.jp　【内容】info@yamakei.co.jp
■書店・取次様からのご注文先
山と溪谷社受注センター　電話〇四八―四五八―三四五五
ファクス〇四八―四二一―〇五一三
■書店・取次様からのご注文以外のお問合せ先　eigyo@yamakei.co.jp

デザイン　岡本一宣デザイン事務所
印刷・製本　大日本印刷株式会社
定価はカバーに表示してあります

Printed in Japan ISBN978-4-635-04721-0